ヒューマンエラーを防ぐ知恵

増補版

ミスはなくなるか

中田　亨

DOJIN文庫

まえがき

ある男が避暑のために静かな田舎に引っ越してきました。ところが、早朝に近所のニワトリの鳴き声がうるさくて熟睡できません。そこで男は睡眠薬を買ってきて、ニワトリの餌に混ぜました。

一見冗談のような話ですが、道理には合っています。

この話は、V・E・フランクルの『フランクル回想録——二〇世紀を生きて』（春秋社）という本の中で取りあげられています。フランクルは、原因を除去するという発想に立つことの重要性をみごとに説明する話だと感心しています。

この話は事故分析と事故予防を考えるうえで大切な教訓を与えています。つまり、原因は一つとは限らず、何を原因と見なすかによって解決策は異なるということです。最良の解決を得るためには、先入観にとらわれて原因を安易に決めつけてはなりません。冗談のような原因の選び方が妥当なこともあるのです。

私たちは、事故の予防や事後処理に際して、原因の選択という作業をもっと意識的に行わなければいけません。〝ヒューマンエラー〟とか〝人為ミス〟という都合のよい言葉で、事故原因を簡単に片づけられる場合は、とくにそうです。「ここで作業員が規則に反してボタンを押しまちがえたから事故にいたった。ああ、原因はヒューマンエラーだ」と性急に飛びついていませんか？

しかし、事故はたった一つのきっかけだけで説明できるものではありません。事故は、複数の要素・要因がそろった結果生じるものです。これはちょうど、ポーカーや麻雀で役がそろって上がることに似ています。「あのカードが手に入れば上がれた」とか、「あの牌(ぱい)を捨てたことが敗因だ」という後悔は適切ではありません。麻雀の教科書を読んでみると、「両面待ちにしろ」とか「危険牌を振り込むな」と書いてあります。〝最後のトドメ〟であるロンされた牌については、なんら言及していません。これに習えば、「事故は何面待ちになっていたか？」とか「危険牌を見極める方法は何か？」について書いたヒューマンエラーの本があってよいはずです。本書では事故を、最後のトドメだけではなく、発生しやすさの構造からも捉え直してみたいと思います。

本書は、安全に携わる人びととの役に立つことを第一の目標とし、ヒューマンエラーによる事故を防ぐ方法を提供することに力点を置いています。本のテーマとしてヒューマンエラーを選ぶと、それだけを論じる形となり、事故を防ぐための方法論は閑却してしまいがちです。もちろん、学術的にはヒューマンエラーの正体について考察を深めることも有意義でしょう。しかし、「ヒューマンエラーの真相はよくわからないが、こうすれば防げる」というノウハウのほうが必要なのではないでしょうか。また、ノウハウを現場で適用するためのコツを示して、読者がすぐに実践できるよう配慮しました。

◆「洪水を予言するだけでは不十分である。箱船を作ってこそである」

（ルイス・ガースナー）

目次

第1章 ヒューマンエラーとは何か

私たちがフグを食べられるのは、フグにあたって死んでいった人びとのおかげです。先人たちは自らの命と引きかえに、どこを食べると死ぬのかを究明してくれたのです。こうした犠牲者なくしてフグ料理はありえなかったでしょう。

私たちの科学技術文明も同じことです。多くの犠牲者を出しつつも、事故を反省し克服することで、技術を発達させることができたといえます。発明が技術の母であるならば、事故は技術を厳しく育て発展させる厳父であるといえます。

この章では、ヒューマンエラーによる重大事故や有名な事故の例と、その反省のあり方について見ていくことにします。

一　背筋も凍りつくヒューマンエラー

ヒューマンエラーがほかの事故原因とは根本的に異なる点は、その恐怖にあります。ヒューマンエラーは権限をもった人間様が御自ら事故を進行させるため、非常に深刻な結末にいたることがあります。損害の量も深刻になりうるのですが、注目すべきは損害の質的な特殊性です。「なんでこんなに奇怪な事故が起こったのか？」という想像だにしなかった結果を生みだすのです。機械の故障による事故では、人がケガをしたとか、ものが壊れたといった、想像できる範囲の損害ですむことが多く、これとは対照的です。

そこでまずは、背筋も凍りつくようなおそろしい事故事例を紹介したいと思います。

まさか患者が入れ替わるとは——思いこみによる医療事故

一九九九年の横浜市立大学病院で起きた患者取り違え事件は、ヒューマンエラーによる事故の典型例です。心臓を手術する予定の患者と、肺を手術する予定の患者を取り違え、それぞれの健康な心臓と肺を手術してしまったというものです。病院の忙しさの中で患者の取り違えが発生し、そのまちがいに誰も気づかず、あるいは少し変だた。なと勘づいた人がいても確認を徹底せず、そのまま手術を実行してしまったのでした。健康な心臓に対して手術できるものなのでしょうか。ぞっとします。

手術の事故といっても、機械の故障によるものなら、患者にダメージを与えるという方向になります。つまり、ダメージの量の問題といえます。機械がどのように故障しても、健康な心臓を切開するという結果にはなりえません。しかし、この事例のようなヒューマンエラーは、質的に特殊な被害を生みだしてしまいます。

◆ヒューマンエラーは質的に異常な事故を生む。

たぶん大丈夫――勘違いによる航空事故

航空の分野でも、ヒューマンエラーが数かずの重大事故を引き起こしています。史上最大の犠牲者を出したのは、一九七七年に起きたスペイン領カナリア諸島のテネリフェ空港における、ジャンボジェット機同士の地上衝突事故で、五八三人もの犠牲者を出しました。おやっと思われた方もいらっしゃると思います。そう、飛行機同士の地上衝突が航空史上最悪の事故なのです。飛行機は宙に浮いていないときのほうが危険という皮肉な結果になっています。

この事故の発生場所は、混雑していて、しかも濃霧の空港でした。濃霧がひどくなって空港が閉鎖される前に一刻も早く出発したいという考えの機長が、独断で飛行機を発進させ、運悪く滑走路上にいた別の飛行機に衝突したという、おそろしくも情けない話です。ふつうなら、管制官から離陸の許可をもらってから発進させるものです。その機長は「たぶん、大丈夫だろう」と見込み運転をしたことになります。そのような重大な規則違反が起こったとは信じがたいのですが、実際にそうなのです。

管制官と交信する役目にあったのは副操縦士でした。この副操縦士は、機長の行動に疑問を抱いたり、意見を呈することができなかったようです。また、無線で交信していたのですが、複数の人が同時に話して聞きとれないというハプニングが、運悪く交信の肝心なところで生じました。管制官は、「OK。離陸待機せよ」といったのですが、「OK」の部分だけは聞きとれたのに、「待機」の部分はかき消されてしまったのです。

こうした運の悪さ、間の悪さがあるものの、規則どおりに手順を踏んでいれば絶対に起こらない事故でした。しかし、権限をもった人間様の手にかかれば、〝絶対〟の規則や万全の備えがあっても、それを乗り越えて事故を起こしてしまうのです。

◆安全に携わる人がヒューマンエラーを犯すと、大事故につながる。

規則を守る意思がない――どケチ経営による工場事故

こうした人間のズサンさによるヒューマンエラーは、業界の別を問いません。

とくにひどい例として、一九八四年、インドのボパールで起こった殺虫剤工場毒ガス漏洩(ろうえい)事故をあげねばなりません。

この事故は、化学工場が制御不能に陥(おちい)って毒ガスの発生が止まらなくなり、その毒ガスの雲がボパールの街を覆(おお)ったというものでした。一晩で数千人の住民が死亡したといわれます。

この工場では、一つの部分が壊れても、ほかの部分がそれを補うように作動するので、全体としては故障にならないという、いわゆる〝フェイルセーフ設計〟がなされていました。また、厳重な安全規則にしたがって、余裕をもった操業がなされるはずであり、少々の異常が生じても大事故にいたらないように工夫されていました。本当にそうだったら、事故は起こらなかったはずです。

しかし実際は、安全装置を停止させていたり、撤去したりしていました。安全規則を守らないことが常態化し、余裕のないギリギリの操業をしていたのです。ようするに、安全のために余裕をとることは、金儲けの邪魔になるという方針だったのです。

日ごろの保守点検は手抜きそのものでした。まあ、安全装置を撤去したりしているのですから、真面目な保守点検を行うわけはないのですが。事故発生時の作業員の行動もまちがいだらけ。異常の初期段階で、操業を停止するとか関係当局に速やかに通報するなど、適切な行動をとっていません。もはやヒューマンエラーというより、組織レベルのモラルの崩壊による事故というべきでしょう。

◆うっかりで偶然起こるヒューマンエラーもあるが、発生して当然のヒューマンエラーもある。

見落とされた警告――入力ミスが引き起こす事故

事務的な仕事においても、会社が傾くような大事故が、ささいなヒューマンエラーによって起こされています。

株や金融商品の電子取引で、人間の数字の打ちまちがいによる事故は、あとを絶ちません。

二〇〇五年には、ある証券会社が注文する株価と株数とを取り違えて、大損をするという事故が起きました。「一株を単価六一万円で売る」と入力すべきところを、「六一万株を単価一円で売る」としてしまったのです。

人間がコンピュータを扱っていて、数字の桁をまちがえたり、数字の記入場所を取り違えたりということは、頻繁に起こることです。当然、コンピュータシステムを設計する人びとも心得ていて、さまざまな安全措置を講じていたつもりでした。この事故でも、コンピュータが「この注文の六一万株は異常に多い」と自動的に判定して操作者に警告を出したといわれています。しかし、操作者はコンピュータから警告を受けることに慣れていたのでしょうか、この警告を無視してまちがった発注をそのまま実行してしまったようです。

では、コンピュータの警告はどのようなものだったのでしょうか。事故のあと、別の会社のシステムが出す警告が新聞で紹介されていました。コンピュータ画面にウィンドウがポンと浮かびあがり、「Quantity, Warning Level 3」という文字が表示されていました。翻訳すれば、「量、第三レベル警告」となります。なぜこのように短い言葉で、しかも英語だけですませているのでしょうか。

コンピュータシステムの設計者は「この程度の警告で充分だろう」と思ったのかもしれません。金融システムには誤発注事故がつきものであるという歴史を甘く見ていたのでしょう。良心的な設計者なら、「誤発注への警告　株数が異常に多いです。六一万株は本当ですか？　再考してください」とふつうの日本語で書くことでしょう。このような工夫は別に難しくもなく、やろうと思えば誰にでもできることです。

この誤発注事故の背景として、株価と株数の桁が以前とはずいぶん変わったことがあげられます。昔は、株券には額面価格というものが決められていた関係で、株価は数十円からせいぜい数千円のあいだの数値でした。今は、額面価格制を廃止する株もあり、その場合、取引価格が一株数百万円の値がついた株というものも珍しくありません。昔なら「六一万」という数字は、見ただけで株数であると決めつけることができ、断じて株価ではありえませんでした。しかし現状では、「六一万株」なのか「六一万円」なのか、即断できません。よしんば、それが株数だとわかったとしても、「六一万株」が正しい注文なのか、まちがった注文なのか、熟考しないと認識できない状況にあります。昔は存在した〝株価っぽい数値〟という常識が、株の誤発注を防ぐ安全装置になっていたのです。その安全装置がいつの間にやら通用しなくなり、そこに不親切なコンピュータによる電子取引が導入されたというわけです。

◆時代が変わると、今までなんとか通用してきた安全装置がひそかに去る。

二　ヒューマンエラーは根深い問題

何をヒューマンエラーと呼ぶか

ヒューマンエラーの定義とは、事故のきっかけになる人間のまちがいのことです。

しかし、この定義では意味が一般的すぎるので、工学の学界では意味に限定をかけます。しばしば現場で仕事を行っている当事者のまちがいに限定して定義されます。設計者のまちがい、すなわち使いにくくヒューマンエラーを誘いやすい機械を設計したことは〝ヒューマンエラー〟にはふくみません（この分類でよいか第2章で考えましょう）。

人間のまちがいを意味する言葉は、〝ヒューマンエラー〟以外にもいろいろあり、〝過失〟〝過誤〟〝人為ミス〟〝ヒューマンファクター〟〝人的要因〟などの単語が用いられます。それぞれ学界や業界の違いによって、微妙にニュアンスが異なる場合があります。たとえば、故意による不適切な行為を〝過誤〟と呼び、うっかりミスを〝過失〟として使い分ける人びとがいます。また、〝ミス〟という言葉には非難じみた意味があるので〝エラー〟の語を使おうとする人もいます。さらには、〝エラー〟という言葉を表に出したくないので、〝人的要因〟という言葉を婉曲（えんきょく）的に使う業界もあります。

とはいえ、絶対的な用語の使い分け規則があるわけではありません。また、使い分けができたとして、それで何かがより明らかになるわけでもありません。「分類できる」と「分類することで何かがわかる」ということは同じではないのです。

たとえば、図1－1のように災害を分類する専門家は多いのですが、こうした分類にはどれほどの意味があるのでしょうか。テネリフェ空港の事故は、濃霧だったから天災であり、副操縦士が交信に失敗したのは過失であり、機長が独断で発進したのは

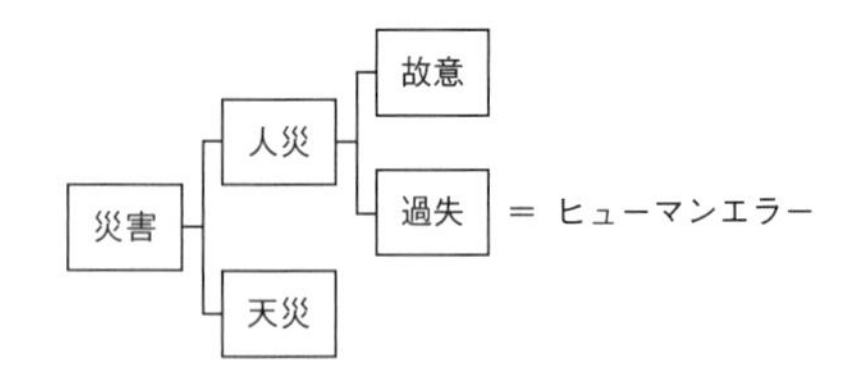

図1-1　事故原因の分類
はたしてこんな簡単に分類できるものだろうか？

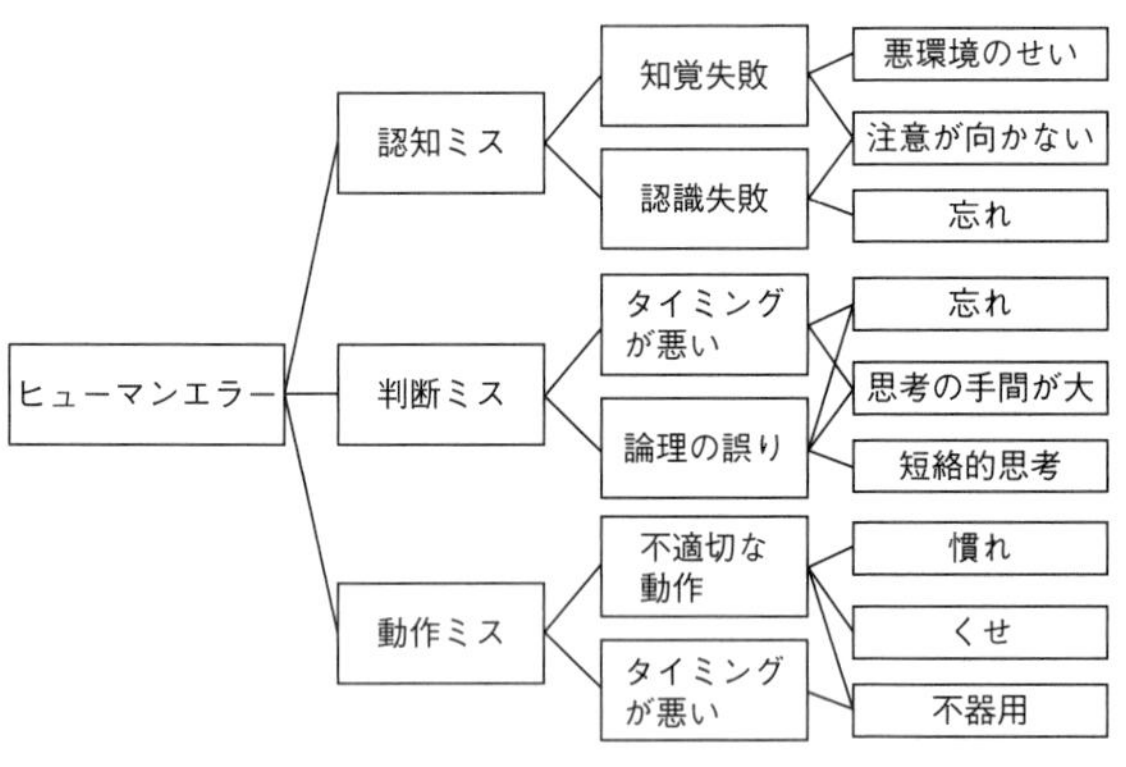

図1-2　ヒューマンエラーの分類

故意です。ようするに、実際の事故は原因が絡みあっていて、簡単に切り分けられるものではありません。この図のように切り分ける必要があるのは、裁判での責任追及の際だけでしょう。

ヒューマンエラー自体を細かく分類するということも多くの本で見られます。典型的には図1-2のように、「人間のまちがいには認知ミス・判断ミス・動作ミスの三種類がある」とするものです。しかし、たとえば「電車に乗り遅れて会社に遅刻した」という事故は、この分類のどれにあたるのでしょうか。時刻の認知に失敗したから認知ミスなのか。あるいは、寝坊しないように目覚まし時計を二つ用意するという安全策を採用しなかったから判断ミスなのか。はたまた、歩くのが遅いという動作ミスなのか。結局、具体的な事故事例をこの分類にあてはめると、どうとでも解釈できるようです。

本書では、こうした伝統的な分類にはこだわらず、人間のまちがいはすべて一括(くく)りに〝ヒューマンエラー〟と呼ぶことで通したいと思います。

実際の事故を分析するには、〝原因の分類〟よりも、〝原因の結合〟を考えるべきでしょう。図1-3のように、人間の問題、機械の問題、職場の態勢などが複合して、事故を生む土壌をつくっているのです。大事故は、作業員の防災教育が不徹底であり、機械の安全装置が不充分で、しかも仕事が難しいという要因が重なって起こるものです。麻雀やポーカーの役のようなもので、要因がそろわないと大事故にはならないのです。麻雀の牌(ぱい)やトランプのカードを一枚一枚眺め

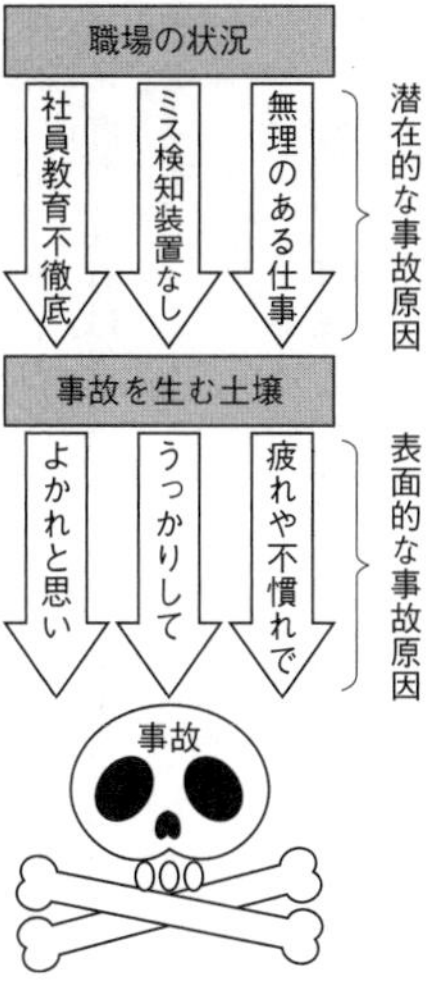

職場の状況
無理のある仕事
ミス検知装置なし
社員教育不徹底
潜在的な事故原因
事故を生む土壌
疲れや不慣れで
うっかりして
よかれと思い
表面的な事故原因
事故

図1-3　ヒューマンエラーはこうして起こる

ては分類し分析するのではなく、自分のもっている手牌や手札が今どうなっているか、次に何がくれば役になるのかを考える。これが事故を考えるうえでの正しい姿勢だと思います。

◆分類すると科学的に見えるが、本当に有効なのかは別問題。

事故の背後にヒューマンエラーあり

なぜ近年になって、ヒューマンエラーが注目されてきたのでしょうか。それは、人間と機械とのかかわりの歴史に関係があります。

昔、たとえば一九世紀以前の世界では、事故の原因は機械の故障が大半でした。昔の機械は非常に故障が多いものでした。機械の材料が粗悪であったり、部品の耐久力の計算方法がわかっていなかったり、つまり技術レベルが今日に比べてきわめて低かったため、故障の頻発は当然でした。

また昔は、人類が今まで知らなかった現象に遭遇し、そのために事故が起こるパターンも多くありました。たとえば、かつては食器の材料に鉛（なまり）を使うことがありました。鉛はやわらかく、低い温度で融（と）けるので加工がたいへん容易です。しかし、あとからわかったことですが、鉛は人体には有毒です。多くの人が毒に冒（おか）されながら、それで

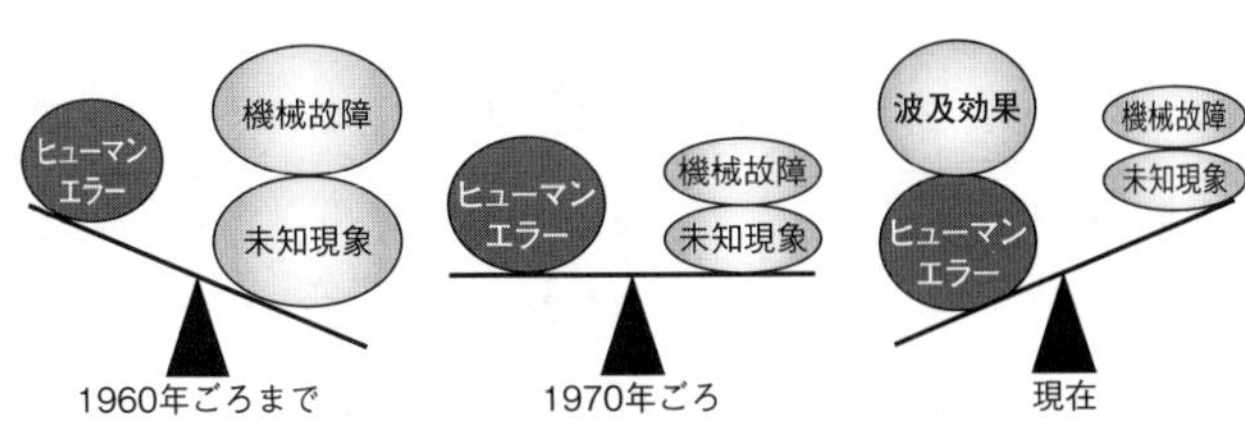

図1-4　時代とともに変わる事故原因

も原因がわからずに鉛の食器を使いつづけてきました。ベートーベンの耳が聞こえなくなった原因は、食器からの鉛中毒であるとする説もあります。こうした事故は、「人間がまちがえた」というより、「人類が知らなかったから防ぎようがなかった」というべきでしょう。このような事故原因は、機械製作技術が進歩し、未知現象も解明されるにしたがって減っていきました。

トップの事故原因が減ると、当然のことながら、二番目の事故原因が首位に昇進します。その切り替わりが、一九七〇年代ごろだったと考えられます。首位へ昇進したものこそヒューマンエラーでした（図1-4）。

一九七〇年代はどのような時代だったのでしょうか。機械の信頼性は大きく向上しました。第二次世界大戦の中で育まれた、品質管理技術と自動制御技術が、広く民生品にも応用されていった時代です。なかなか故障せず、自動で稼働する機械を量産することができるようになりました。かくして、業種の違いによらず、社会全体で機械の故障が大幅に減りました。

たとえば、航空機事故の発生確率の統計を見ると、一九五〇年代から一九六〇年代は高い率であったことがわかります。代表的な事故としては一九五四年の世界初のジェット旅客機コメット号の空中分解事故などが見受けられます。これは当時の最新鋭機での事故でした。しかしながら一九七〇年代に入ると、きわめて低い率に落ちつきます。数多くの事故に学び、飛行機の改良を充分行った結果といえます。

鉄道事故でも一九六〇年代までは、機械故障や未知現象による大事故が見受けられます。その代表例は一九六三年のいわゆる鶴見事故です。この事故では、貨物列車の貨車が〝せり上がり脱線〟という当時未解明の現象によって脱線し、大事故にいたりました。その後の研究により対策がなされ、せり上がり脱線は激減します。

では、一九七〇年代以降は大事故のない幸せな社会になったのかというと、そうではありません。機械の設計はよくなりました。製造技術もよくなりました。しかし依然として多くの人が犠牲となる大事故はつづいています。

航空では、史上最悪のテネリフェ空港地上衝突事故は一九七七年、日本航空一二三便事故は一九八五年。鉄道では福知山線脱線事故は二〇〇五年。原子力ではスリーマイル島原発事故は一九七九年。化学工業では、ボパール化学工場事故は一九八四年。

こうした事故は多数の原因が複雑に絡みあっているので簡単ではないのですが、人間のミスが関与していることは確かです。

　機械はなんら故障していない状況でも、大事故は発生します。そのような事故の原因はなんでしょうか。ヒューマンエラーが原因といわざるをえません。本当に人間に問題があるかは別にして、機械は壊れていないのだから、消去法で人間のミスと見なすしかないのです。

> ◆機械が壊れていないなら、とりあえずヒューマンエラーとしか呼びようがない。
> 技術は進歩したが、ヒューマンエラーによる大事故はつづいている。

深刻な事故を招くヒューマンエラー

　なぜヒューマンエラーは大事故の原因となるのでしょうか。それにはほかの事故原因とは違った独特の事情があるのです。

　第一の問題点は、ヒューマンエラーはどこでも起こりうるということ。先述したように、株の取引でも、病院の中でも、ところかまわず発生し、大事故を引き起こしています。自分の仕事にはヒューマンエラーは関係ないと断言できる人はいないでしょう。人間がまったく介在しない活動は、社会の中にはありません。社会の中で生きているかぎり、誰でも、いつでも、ヒューマンエラーがために、事故を起こしたり、逆に事故の被害者になる可能性があります。工場の中でのみヒューマンエラーの対策を進めるだけで、社会生活が安全になるとはいえません。社会全体に目を配らなければなりません。

また、ある企業の中に話を限っても、すべての部署でヒューマンエラーが生じる可能性があります。工場の中に限定してヒューマンエラーを防ぐ対策を立てるだけでは不充分です。会社を事故から守るには、全方向に対策をとる必要があります。今まで〝事故〟とは無縁に見えた事務部門などについても考えなければなりません。

第二の問題点は、ヒューマンエラーはその被害の量を予想しにくいことにあります。先述した株の誤発注事故では「一株を単価六一万円で売り」を「六一万株を単価一円で売り」とまちがえました。六一万円で売れるものを六一万個もタダ同然で手放したのですから、被害額は六一万の自乗で三七二一億円となります。これだけでもすごい額ですが、仮に六一万という数字が九一万という数字だったら、被害額は九一万の自乗で八二八一億円になったはずです。値がずいぶん増加しました。一桁違いの六一〇万だったら、三八兆二一〇〇億円。もともとの一〇〇倍の被害額になります。このように、数字の打ちまちがいによる被害額は、億単位になるのか、兆単位になるのか、予想がつきません。

こうした単純なまちがいは、数字の入力作業に限ったことではありません。患者の取り違えもそうです。このまちがいは人命にかかわります。ささいな取り違えが、人の命を左右してしまう。エラーの軽重と被害の軽重には関係がないのです。

また、ヒューマンエラーのもつ波及効果も被害を増加させています。現代は、作業の効率化を求めるあまり、分業を徹底させ、機械を使うことで、仕事を高速に進めています。そのような作業システムの中で一人が小さなミスを犯すと、それは他人や機械の助けを借りて、高速に徹底的に実行されてしまうのです。まちがいに気づいたときには後の祭り。昔のようにチョロチョロ損害が出るのではなく、途方もない損害が一度にやってきて、そこではじめて事故とわかるというパターンです。

第三の問題点は、ヒューマンエラーは防ぎにくいということです。

たとえば、「大統領が核ミサイルのボタンをまちがえて押すことを防げるか」という問題があります。大統領にはボタンを押す権限があり、必要なときにはボタンを押すべきということになっています。ボタンを押すべきか押さざるべきかは大統領本人の判断です。大統領以外の人間が、「今ボタンを押すことはまちがいであるから、ボタンを無効にしよう」とはできません。つまり、大統領の判断がまちがっていたら、もう誰もそれを正すことができません。

この問題は、大統領と核ボタンに限りません。ふつうの人とふつうの機械のあいだでも同様です。作業で最終的な決定権を握っているのは人間です。機械がまちがったことをしたら、人間はそれを止めさせることができます。しかし、人間がまちがったことをしても、機械がそれを止めることは簡単ではありません。このように、ヒューマンエラーを食い止める権限をもった人間自身がヒューマンエラーを起こすというジレンマがあります。

第四の問題点は、ヒューマンエラーは原因の根が深いということです。「ある人がうっかりミスでまちがえました」と片づけられないものなのです。

うっかりミスは本人だけの責任でしょうか。うっかりミスが起こるのは、そのミスを防ぐ措置が講じられていないからともいえます。これは作業管理者の責任です。作業管理者に措置を講じさせていないのは、さらに上級の管理者の責任です。

また、ミスが発生した遠因が、仕事の量が多くて作業員の能力の限界を超えるものだったらどうでしょう。こうなると経営者の責任といわざるをえません。私が通勤で使っている鉄道は、毎日のように列車が遅れます。東京では、ただでさえ乗客数が多い上に、複雑な相互乗り入れをしていますから、局所的なトラブルが全体のダイヤの乱れを引き起こします。それを乗客も鉄道員ももはや当たり前のことと受け入れています。本来ならダイヤが遅れないようにするべきです。それにはダイヤに余裕をもたせるとか、電車の運転区間を改めるなどの措置が必要です。こうした判断は経営的なものであり、鉄道会社の上層部が決断しなければ解消されません。しかしいまだにこの路線はしばしばダイヤが乱れます。異常を直せる権限が現場にないと、異常は放置され長続きします。

つまり、ヒューマンエラーとは責任の所在が明快に割りきれないものなのです。ヒューマンエラーを防ごうとするなら、現場レベルの改善の話に収まらず、経営問題にさえかかわってきます。一朝一夕に解決する問題ではないのです。

◆ヒューマンエラーは、看過できる問題でもなければ、スラスラ解ける問題でもない。

第2章 なぜ事故は起こるのか

〝事故〟と呼ばれるものの正体とはなんでしょうか。〝事故〟という言葉には科学的な定義が存在するわけではありません。人間が恣意(しい)的に「これは事故である」と見なしているにすぎないのです。

たとえば、コンピュータのファイルを消してしまうことは〝事故〟でしょうか？ 消すべきファイルを消すのは正当な作業です。しかし、あとになってあのファイルは消してはいけなかったとわかると、たちまち事故と見なされます。事故かどうかの認定は事情に応じて変化する、多分に主観的なものです。すると、中立公平をモットーとする自然科学は困ってしまいます。ある出来事が事故であるかを判定する議論は、人間の都合が反映した〝価値観〟であって、自然科学の〝理論〟とはなじみません。

そうはいっても、理論がなければ技術は生まれません。この章では、〝事故〟を理論的に取り扱うことができるか考えましょう。

一　事故とは何か？

事故の特徴

〝事故〟を定義するのは非常に難しいことですが、おおよそ次の三つの特徴を備えた現象と考えてよいでしょう。

①意外性：意外で不本意な結果を生む。その結果の発生の予想や計画を誰もしていない。
②有害性：その結果は誰かにとって不都合である。
③不可逆性：その結果から原状への回復を許容できる範囲内の費用で行えない。

意外でない有害現象は、故意であり犯罪事件として分類されます。

有害でなければ事故とは見なされません。事故すれすれだったが被害はなく、結果オーライだった現象は、事故ではありません。こうした事故すれすれの現象を「ヒヤリハット」と呼びます。事故になりかけて「ヒヤリとした」「ハッとした」現象なのでヒヤリハットと名づけられました。業界によっては、「インシデント」とか「ニアミス」とも呼びます。

ヒヤリハットは事故ではありませんが、これを除外して事故防止を考えるのは得策ではありません。たまたま今回は被害がなかっただけで、次回は被害が出るかもしれません。したがって、ヒヤリハットは真剣に取りあげ対策を考えるべき事柄です。近年の産業界では、ヒヤリハット事例の集計をとり、これらを防ぐ工夫を考える活動を進めています。

不可逆性も事故の特徴です。一度損害が発生すると、それを容易に打ち消せません。その場で簡単に直せるミスを事故とは呼びません。

◆事故の定義には人間の都合が反映している。

異常の判断基準——フレーム問題

事故を理論化しようとするとき、一番問題なのは意外性と有害性の取り扱いです。ある現象が不本意であるとか、不都合であると判定する、統一的ルールなり理論なりをつくることは非常に難しい。私がこのことに気がついたのは、フィリップ・K・ディックのSF小説『アンドロイドは電気羊の夢を見るか？』(早川書房）に出会ったときでした。

この小説は、人間そっくりなアンドロイドを捕まえるという話です。アンドロイドは外見だけでなく、知能も人間並みであり、ふつうに会話するくらいでは容易に正体をばらしません。そこで、〝フォークト・カンプフ検査法〟なる尋問法を用います。

捜査官「このカバン、いいだろう。官給品なんだ」
アンドロイド「そうですか」
捜査官「赤ん坊の皮でできているんだ」
アンドロイド「……?」

アンドロイドはこの会話の異常さにすぐには気づきませんでした。人間だったら、ただちに嫌悪なり疑いなりの感情をもつはずです。しかし、アンドロイドにはそのような反応を起こすプログラムはされていなかったのです。こうして、お前はアンドロイドだなと検知できたわけです。

この一節は、実はロボット学や人工知能学で〝フレーム問題（枠組み問題）〟と呼ばれる難問につながっています。人工知能学的にいえば、アンドロイドにフォークト・カンプフ検査法をかいくぐらせようとしても、それはフレーム問題であるために不可能です。アンドロイドに「赤ん坊の皮でできたカバンは異常である」と教えたとします。こうすれば、先述の尋問には引っかからなくなります。しかし、それではこの尋問だけに対する効果しかありません。別の尋問は、「赤ん坊の皮でできた靴は異常である」「人間が自分の手を食べることは異常である」などと際限なくつくれます。アンドロイドがそれらすべてに引っかからないようにするには無限に想定問答を教えこまないといけませんが、それは無理です。想定問答の枠組みをいくら教えても、その枠の外にある問題が無数にあり対処しきれないということが、フレーム問題の意味するところです。

小説の中ではこうしてめでたく馬鹿なアンドロイドを捕まえることができたのですが、われわれの社会では機械が馬鹿であることはありがたくありません。しかし、フレーム問題がゆえに、機械は決して賢くなれないのです。

たとえば、パソコンが賢くなれば、電子メールの送りまちがいを防いでくれることでしょう。電子メールを送る際に、パソコンが宛先・内容・データのサイズなどを確認し、問題があるなら「変ですよ」と注意してもらいたいものです。とはいえ、何が異常なメールであるかを教えこむことは不可能です。

このような事情で、機械が自動的に広く異常を検知し、広範なヒューマンエラーを防いでくれることは、期待できそうにありません。

機械が賢くなれるのは、作業の文脈が限られている場合だけです。機械が株の誤発注を指摘することは、株の数を見るだけでできます。「異常とは何であり、それだけである」と定義できる、枠組みの限定された世界ならば、機械にそれを教えて異常を見張らせることができます。

ところで、漢の劉向（りゅうきょう）が編纂した『説苑（ぜいえん）』という書物の中に、次のような一節があります。

従命利君、為之順。（主君の命令に従って、主君に利益を与えることを、順という。）

従命病君、為之諛。（主君の命令に従って、主君に害を与えることを、諛（ゆ）という。）

逆命利君、謂之忠。（主君の命令に逆らって、主君に利益を与えることを、忠という。）

逆命病君、謂之乱。（主君の命令に逆らって、主君に害を与えることを、乱という。）

この分類でいくと、機械は人間の命令に従うしかないので、〝順〟か〝諛〟にしかなれそうにありません。人間の命令がまちがっている場合でも、それを実行するしかなく、〝諛〟になり下がってしまいます。賢い機械なら、人間のまちがった命令には背いて、〝忠〟になるべきですが、そのような機械を実現することは難しそうです。

盲導犬は、危険な方向にはたとえ命令であっても主人を導きません。これは〝忠〟

のレベルに達しています。動物と機械の知恵の差は、いまだ歴然としています。

◆型にはまらないヒューマンエラーを防げるのは人間しかいない。しかし、型にはまらないヒューマンエラーをしでかすのも人間である。

二　事故は起こらなくなるか

異常に気づくタイミング

ここで、事故の一般理論なるものを考えてみましょう。すなわち、個別の事故を分析する際に共通して使える理論を打ち立てたいと思います。事故は種種雑多であり、なかなか共通的な取り扱いが難しいのですが、かといって個別の話にとどまっていては技術は進歩しません。理論化してみないといけません。理論が立てられるとするなら、「事故はどのような罠になっていたか?」という、構造の側面だろうと考えています。

そもそも人間は事故を起こしにくいものです。人間は賢く、事故を回避することに長(た)けています。日常生活の中で実にいろいろな行動を無事故でこなしています。道路を歩き、車を運転し、料理をつくり、力仕事をし、人と会話をするなど、多種多様の行動が、できて当たり前なのです。多少の失敗は犯すものの、大ケガをするような大事故はそれほど頻繁には起こしません。

では、事故が起こる場合とは、ふつうの作業と何が違うのでしょうか？

事故の本質は〝手遅れ〟です。「何か変だぞ」と気づいたときには後の祭りで、悲劇的な結末にいたらざるをえなくなっていたという構造が、事故には必ずあります。つまり、事故とは回避が手遅れになるまで危険を気づかせない罠に人間がかかる現象といえます。

事故を考える際、異変に気づくタイミングが問題です。一見、危険な作業であっても、手遅れになる前に異変に気づけば、人間はそこから逃れることができます。たとえば、高速道路を時速一〇〇キロで走行することは、事故になった場合に大きな破壊が起こりますから、危険なように見えます。しかし、車間距離を充分とって走っているかぎりは、道路の前方で異変が起きてもそれを避けることができます。危険を避けることが間に合うので安全なのです。

逆に、簡単そうな作業に見えても、異変がなかなか露見せず、気づいたときには手遅れであるなら、事故が多発します。自動車の運転の例でいえば、町中の狭い路地を時速四〇キロで走っているとしましょう。高速道路の場合に比べて、自動車の運動エネルギーがたいへん小さく、事故になっても大きな破壊は起こらないので、安全なように思えます。しかし、脇道から子どもが急に飛びだしてきたら、これを避ける時間的な余裕がありません。気づいたときには手遅れであり、事故にならざるをえません。

　このように、自動車の速度の大小という表面的な事柄ではなく、手遅れの罠であるかどうかが事故の発生を支配します。

事故が起こるとき

　手遅れの罠について、よりくわしく、図を使って考えてみましょう。説明の題材として、電子レンジを取りあげます。電子レンジは、電波で食品を加熱しますが、この電波が外に漏れると、そばにいる人間を炙（あぶ）るという事故になります。この事故を防ぐために、加熱中は電波を遮（さえぎ）る扉を閉めます。

　分析のはじめに、機械が取りうる状態というものを考えます。この例の電子レンジが取りうる状態には、どんなものがあるでしょう。状態は、扉が開閉のどちらであるかと、電波がオン／オフのどちらであるかによって区別できます。これらの違いによって、電子レンジの状態は、図2-1のように四つが考えられます。この四つの状態のうちの一つに、扉が開いていて、しかも加熱電波がオンになっているものがありますが（状態C）、これは事故の状態です。こうならないように、防ぐ手立てを考えます。

　図2-1のように、それぞれの状態を絵で描くことは面倒です。そこで、図2-2

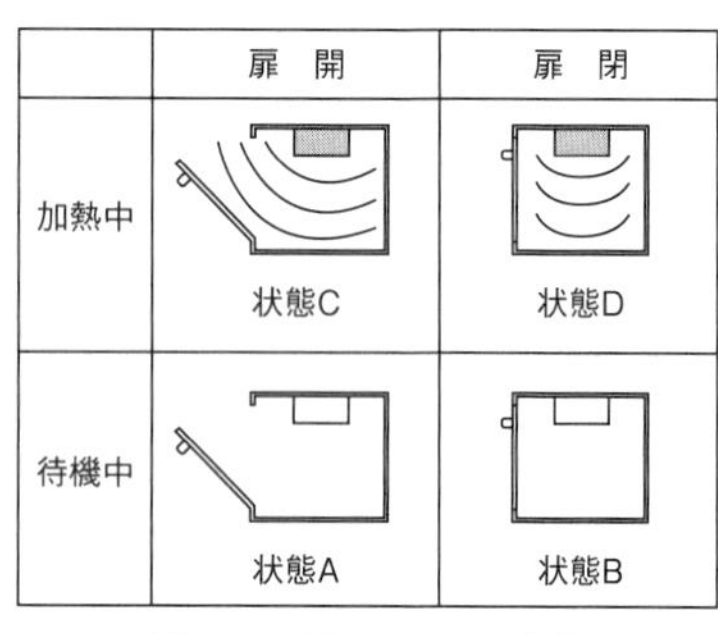

図２－１　電子レンジの状態

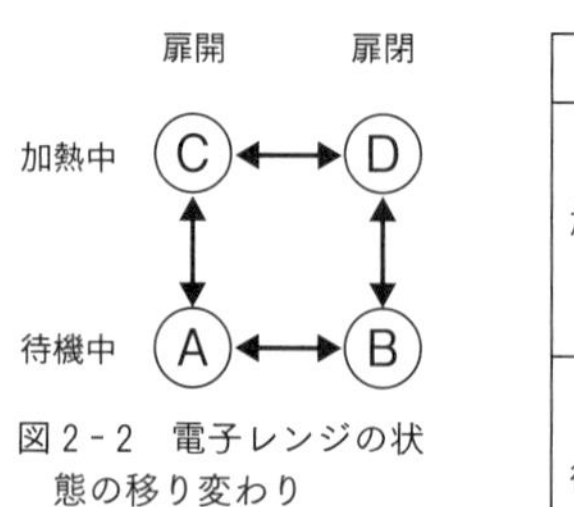

図２－２　電子レンジの状態の移り変わり

のように、状態を丸と文字で簡略化して表示することにします。四つの状態には、それぞれＡ、Ｂ、Ｃ、Ｄと名前をつけました。

次に、状態遷移、すなわち状態の移り変わりについて考えます。この電子レンジの加熱電波のオン／オフは、スイッチを押すことで切り替えることができます。たとえば、「扉が閉まっていて電波が出ていない」という状態Ｂでスイッチを押すと、「扉が閉まっていて電波が出ている」状態Ｄに変わります。また、扉の開閉によっても状態が移り変わります。状態Ｂで扉を開くと状態Ａに遷移します。こうした状態遷移を図２－２では矢印で表しています。どの状態からどの状態へ移ることができるかが、これで一目瞭然となります。

さて分析の最後に、事故を防ぐ手立てを考えましょう。

この例では、事故の状態は状態Ｃです。状態Ｃに

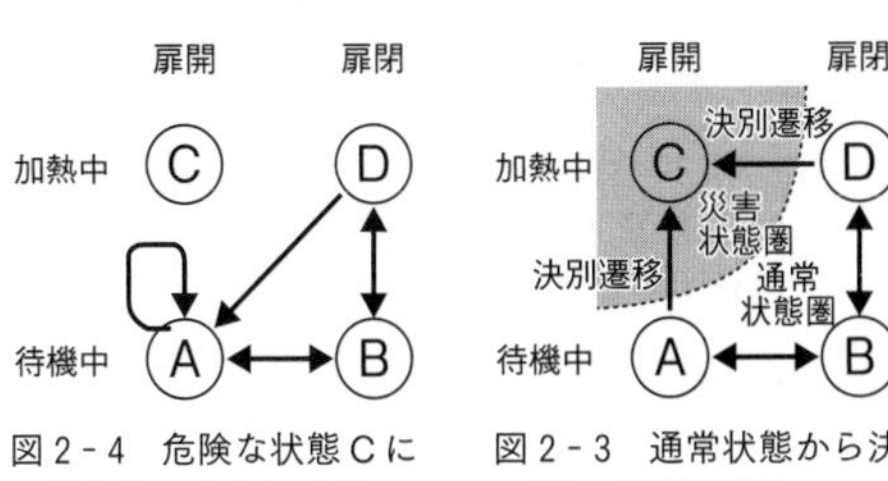

図2-4　危険な状態Cに行かないようにする

図2-3　通常状態から決別して災害状態へ

なるには、状態Aから行く矢印と、状態Dから行く矢印があります。状態Aから状態Cへの矢印は、扉が開いたままで加熱電波のスイッチを入れる操作を意味しています。状態Dから状態Cへの矢印は、加熱電波が出ているままで扉を開けてしまう操作を意味します。どちらも事故を引き起こす状態遷移です。

このことを図2-3を使って整理してみましょう。まず状態A、B、Dは、それ自体は通常の使用でありうる状態ですから〝通常状態〟と呼ぶことにしましょう。状態A、B、Dの三つで、〝通常状態圏〟を形づくっています。状態Cは災害を生みだす状態なので〝災害状態〟と呼びます。災害状態は状態Cの一つだけですが、C一つで〝災害状態圏〟をつくっていると考えます。

ところで、事故を引き起こす危険な状態遷移である「A→C」と「D→C」をこの図で見直してみると、それらはすべて事故状態に突入する遷移であるといえます。このような状態遷移が生じると事故にならざるをえません。安全な状態の

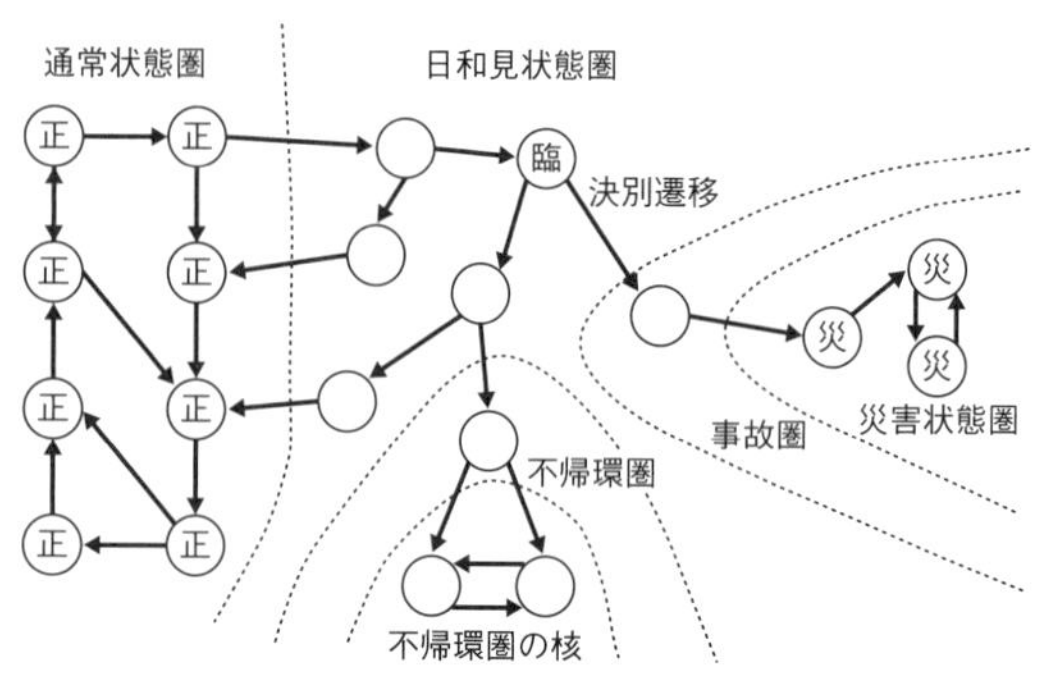

図２-５　事故の状態遷移図

圏から決別し、事故を起こさずには帰ってこられません。このような状態遷移を〝決別遷移〟と呼びます。こうした決別遷移の矢印をなくすことが、事故を防ぐことになります。

つまり、図２-４のように、矢印をねじ曲げてしまえばよいのです。状態Ａから状態Ｃに行こうとしても、状態Ａに引き戻してしまう。これは、扉が開いている状態なら、電波スイッチを押しても、電波を出さないという制限を電子回路上に施すことで実現できます。また、状態Ｄから状態Ｃに行こうとするなら、状態Ａに連れて行ってしまう。すなわち、加熱電波の発射中に扉を開けると、自動的に電波を停止するような仕掛けをつくればよいわけです。このように、機械の安全設計者は、状態遷移図を使って、事故をもれなく防ぐ手立てを考えます。

電子レンジの例は簡単でしたが、一般には、図

2－5のように複雑な状態遷移図になります。状態や状態圏の分類は、次のようにもう少し細かく考えることができます。

通常状態……機械を正しく使っているときに取りうる状態。
通常状態圏……通常状態の集まり。
災害状態……被害を発生させる状態。
災害状態圏……災害状態の集まり。
不帰還圏……通常状態に行く経路がない状態の集まり。
不帰還圏の核……不帰還圏の中で最終的に行きつくことになる状態の集まり。
事故圏……核が災害状態圏であるような不帰還圏。
決別遷移……事故圏に突入する状態遷移。
臨界状態……決別遷移がありうる状態。
日和見状態圏……通常状態ではないが、通常状態に戻る経路がある状態の集まり。

事故の罠から逃れる

さて、「事故は、人間が異常に気づいたときにはすでに手遅れである罠によって発生する」と述べてきました。このことを用語を使っていい表すと、「人間が、自分の行った操作が決別遷移であることに気づかなければ事故になる」ということになります。したがって事故を防ぐこととは、決別遷移を行わせないことと同義です。それには、二つの方法があります。

一つは、電子レンジの例のように決別遷移をすべてなくすこと。これは事故防止のうえでは確実な対策です。しかし、実際には困難な場合もあります。強い力を出す道具や、鋭い刃物、危険な薬品などを取り扱う作業では、決別遷移を完全になくすことはたいへん難しいものです。事故を起こそうと思えばすぐに起こせるような状況です。このような作業で決別遷移の全廃を行うとは、たとえば危険だからと料理人に包丁をもたせないのと同じで、作業そのものが成り立たなくなることもありえます。

決別遷移全廃が不可能な場合は、人間が決別遷移の操作を行う前に危険に気づかせなければなりません。つまり、臨界状態に到着したときに、「そこにはこんな決別遷移があるぞ」「この操作はしないでください」と、作業員に警告するのです。これが二つめの方法です。

こうした警告はその場で自動的に行われるようにすると事故が起こりにくくなります。また、事前に作業員を教育することでも警告を与えることができます。作業をはじめる前に、携わる作業の状態遷移図を見せて、どこに臨界状態があり、どのような行為が決別遷移となるかを教えるのです。こうすることで、「気づいたときには手遅れだった」という事故の罠から逃れることができます。

以上述べたことが、事故の理論的な取り扱い方です。ややこしい用語が出てきましたが、事故防止の考え方を精密にすることができました。理論を使わずに素朴に考えると、「事故は人間のまちがいによって起こる。だから、まちがいを防げばよい」という程度にしか話が進みません。しかし理論を知ると、「事故防止は決別遷移を防ぐことである」と核心を認識することができます。

◆事故への道を知ることで、事故を避けることができる。

悪魔の証明と事故

安全に責任をもつ人には、「絶対に事故は起きません」と請け負うことが、ごく当たり前に求められます。しかし、「絶対に起こらない」という保証は無理です。これは論理学では〝悪魔の証明〟と呼ばれている論証形式です。悪魔のように難しい証明という意味です。

たとえば、「ドッカーニ・イルカーモという名前の人物が存在することを証明せよ」という問題は、その人を探しだせば完了します。探しだす手間はかかるかもしれませんが、論理学的には単純明快な話です。この問題を否定した形の問題、「ドッカーニ・イルカーモという名前の人物が存在しないことを証明せよ」はどうでしょうか。この証明は非常に難しい。世界の隅々まで調べまわって、そういう人物はいなかったと確かめる以外に証明の仕様がありません。ゆえに悪魔の証明と呼ばれています。

事故についても同じことがいえます。「この機械では事故が起こる」という命題を証明することは非常に簡単です。「ここの部品が壊れているから、作動させると爆発して事故になる」などといえばよいわけです。しかし、「この機械では事故が起こらない」という命題は証明できません。「なるほど、この部品は壊れてはいない。しかし、ほかの部品が壊れているかもしれない。爆発以外の事故が起きるかもしれない。たとえば、機械に人が蹴(け)つまずいて転んで大ケガをする可能性はどうだ？」と、際限なく事故の可能性が出てきます。あとからあとから湧いてくる事故の可能性のいっさいを、「そんな事故はありえない」と封じることなどできません。

したがって、安全責任者が保証できることとは、「われわれが想定した正常な使い方で、正常な環境条件ならば、われわれが想定した形での事故は起こらない」という、かなり限定した命題だけになります。限定された保証しかできないことは安全責任者にとって悲劇でしょうか？　むしろ、事故が起こっても、「ユーザが異常な使い方をしたのが悪い」とか、「その形態の事故については保証していない」という逃げ道を安全責任者に与えているのかもしれません。

製造物責任法（PL法）は、こうした逃げ道を防ぎつつ、安全責任者の責任範囲を現実的な範囲にとどめてあげようとする発想に立っています。すなわち、安全責任者はどういう事故を想定し、〝異常な使い方〟とは何であるかを商品に明記することで、ユーザに説明しようとするものです。こうすることで、際限なく責任を負わされ、不毛な悪魔の証明から逃れることができるのです。

◆製作者と使用者とが互いに合意してはじめて安全が議論できる。それがインフォームド・コンセント。

三　やっぱり人はまちがえる

複雑にからむ事故原因

われわれは事故に遭遇すると、まず「なぜ起きたのか？」と理由を知りたがります。理由がわかれば事故はいっさい解決し、その後の世界は安全になるかのような幻想をもつ傾向があります。また、事業を運営する側にとっては、「事故原因はこれ。ここを直せば、操業再開してよし」と早急に結論を出さないと、仕事にならないという事情もあります。

マスコミもまた、事故調査委員会が簡明な事故原因を早く見つけ出すことを期待するように見えます。事故調査とは、一つの原因を突き止める作業であると思っているのでしょうか。私が先述したような「事故には多数の要因が複雑にかかわっている。責任の所在も単純ではない」という見解では、人びとの理由追究欲を満たすことができないようです。

次にあげたのは、ヒューマンエラーの原因をすぐに答えてほしいと求められた場合、こう答えれば満足してもらえるという〝模範解答〟です。

技量不足 →「作業が難しすぎた」
記憶力不足 →「覚えるべきことが多すぎた」
慢心 →「慣れた作業員が慢心し、手を抜いた」
不注意 →「作業員の緊張が足りず、見逃した」
緊張過剰 →「締め切りに追われた作業員が、短絡的な行動をした」
自己顕示欲 →「格好つけようとして、わざと危ない行為をした」
機械の問題 →「機械がまぎらわしいのが悪い」

たしかに、このような原因からヒューマンエラーがはじまるというのは事実です。

かつては、こうした典型的原因だけで、ヒューマンエラーの発生のメカニズムは、すべて説明できるだろうと考えられていました。つまり、「この作業では、作業に必要な記憶量は七、機械の使いやすさは四、作業員の熟練度は三、作業員の注意力は五。これを計算式に当てはめて、事故発生確率は一二〇〇分の一である」というような、ヒューマンエラー確率予想ができるはずだと思われていました。

　しかし、人間の思考の研究が進むにつれ、人間のまちがえ方は単純ではないことがわかってきました。その証拠としてウェイソンの四枚カード問題というものがあります。

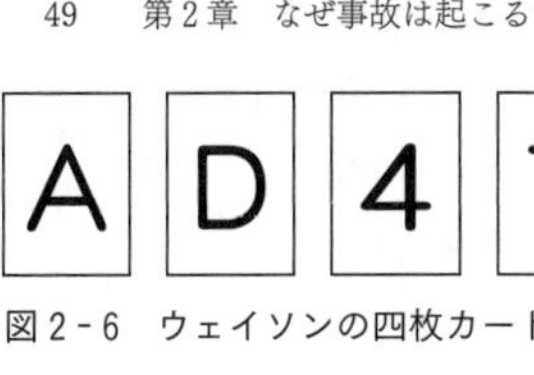

図2-6　ウェイソンの四枚カード問題

四枚カード問題

　図2-6のように、四枚のカードがあります。これらのカードの片面にはアルファベットが一文字ずつ書かれていて、裏面には数字が一つ書かれているものとします。この図では、アルファベット側が見えているカードが二枚あり、数字側が見えているカードが二枚あるわけです。

　さて、「母音の文字（A、I、U、E、O）が書かれているカードでは、反対側の面には偶数の数字が書かれていること」というルールが

ある とします。このルールが守られていることを確かめるには、図の四枚のカードのうち、どれとどれをめくって、逆面を確認しなければならないでしょうか？

まず思いつくのは、〝A〟のカードは逆面が偶数のはずだから、裏をめくって数字を確かめるということです。したがって、答えの一つめは「Aのカードをめくる」です。もう一つめくらなければいけないカードは、〝4〟のカードは逆面が母音の文字であるはずだから、これをめくって確かめることにします。「4のカードをめくる」がもう一つの答えとなります。

酔っている人	酔っていない人	成人	未成年者

図2-7　四枚カード問題の応用編

ところで、四枚カード問題を題材を変えてみたらどうなるでしょうか。たとえば、図2-7のように、四人の人間を調べる問題にしてみましょう。今、未成年者、成人、酒に酔っていない人、酔っている人の四人がいるとします。未成年者は酒を飲んではいけないという法律があります。この法律が守られているかを調べるには、図の四人のうち、誰と誰を尋問すべきでしょうか？　そのためには未成年者が酔っていないかを調べ、また、酔っている人が未成年者ではないかを調べればよいはずです。したがって、答えは「図の左右両端の人を調べる」となります。

さて、図2-6と図2-7とでは、題材を変えただけであって、問題の構造は同じです。すると、図2-7で「左右両端を調べること」が正解なら、図2-6でも左右両端の〝A〟と〝7〟のカードを調べることが正解であるはずです。

そうです。さきほどは「Aと4のカードをめくる」を正解としましたが、「Aと7のカードをめくる」が本当の答えなのです。なぜなら、〝4〟のカードの逆面にどの文字が書かれていてもルールには違反しませんが、もし〝7〟のカードの逆面に母音文字が書かれていた場合はルール違反になります。このため、〝7〟のカードを調べなければならなかったのです。

まちがえる理由は不明

この四枚カード問題を図2-6のような抽象的な題材で一般の人びとに出題すると、その正解率はわずか数パーセントにとどまります。しかし、図2-7のような具体的な題材に置き換えると、ほとんどの人がまちがえません。問題の論理学的構造はまったく変化していないのに、正解率が大変動してしまいます。人間の脳とはなんと奇妙なものなのでしょうか。

なるほど、「ヒューマンエラーの発生確率は問題の具体性によって大きく左右される」ということはわかりました。しかし、なぜこのような奇妙な現象が起こるのか、はっきりしたことはわかっていません。ましてや、先述したヒューマンエラー確率予想法が、こうした現象を反映することはできていません。したがって、そこで計算されるエラー確率は信用できないものになっています。

結局のところ、ヒューマンエラーがなぜ発生するのかを解明することで、それを鎮圧する療法を編みだすという方針は、あまりうまくいきそうにありません。四枚カード問題のような単純化された心理実験ですらまちがえる理由は謎です。ましてや、現実の仕事でのまちがい発生の理由を解明することは、きわめて難しいことです。たとえば、プロの将棋の世界では、百戦錬磨の棋士たちが、本番の対局で信じられないほど平凡なミスを犯しています。ルールの基本中の基本である〝二歩(にふ)〟や、たった一手を見落として即死する〝頓死〟など、将棋の初心者ならともかくプロでさえも、数は少ないものの、しでかすのです。興味のある方は、将棋雑誌でときおり「珍プレー集」などとして事例が紹介されることがあるのでご覧ください。

原因が不明であることは、何も予防法や治療法がないことを意味しません。天然痘は、その病原体ウイルスが発見されるはるか以前の一七九六年に、種痘という予防法が発明されていました。

◆ヒューマンエラーの原因を問うことは重要だが、明快な答えが見つからないこともある。

第3章　ヒューマンエラー解決法

職場のヒューマンエラー問題を解決しようとするとき、エラーの当事者だけに視野を限定して考えても、たいていうまくいきません。「ヒューマンエラーがなぜ起こったのか?」と考えるだけでは一面的すぎます。「ヒューマンエラーを防ぐ手立てはなぜなかったのか?」「なぜ難しい作業をさせていたのか?」など、会社組織の問題まで考えるほうが、より問題の核心に迫れます。

この章では、ヒューマンエラーによるものをふくむ事故全般を防止するには、人間組織の中でどのように活動していけばよいのかを考えたいと思います〔なお、私がこれから述べるような考えをもつきっかけになったのは、ドナルド・C・ゴース、G・M・ワインバーグ著『ライト、ついてますか?——問題発見の人間学』(共立出版)という名著に出会ったことでした。人間組織と問題解決について、目から鱗(うろこ)が落ちるような、深い考察がなされています〕。

一　問題の捉え方

問題の捉え方が一番難しい

〝問題〟とは、理想と現実とのあいだに、許容できないほどの差があることです。「自分が億万長者ではない」という現実は、理想とは違うのかもしれませんが、ふつうの人は許容します。ですからこれは、真の問題ではありません。一方、「食べ物を買うお金がない」という現実は、餓死を引き起こしますので許容できません。立派な問題です。

問題があることは簡単にわかる反面、問題を適切に捉えることは非常に難しく、充分注意しないといけません。

ある病院に、字の下手な医師がいました。他人に読ませる文でもていねいに書かないのです。しかし本人は「この字でも読める人には読めるから、いいのだ」といっていたそうです。ある日、彼が書いた処置に関する指示メモを、看護師が読みとることができないという事態が起こりました。その看護師は引っこみ思案気味で、なんと書いたかを医師に問いただすことができません。そして、勘に頼って「メモの意味はたぶんこうだろう」と解読したつもりになり、治療用装置の操作をまちがえるという事故に発展しました。
この事故の再発を防ぐために、専門家が次のような対策を考えだしました。

- 機械の設定についてまちがいが起こらないように、写真を使ったわかりやすい機械取扱説明書をつくる。
- 機械の操作では、二人以上で二重の確認をする。
- 新入看護師の教育を徹底する。

しかし、私はこの対策案から違和感を受けます。まず、字の下手な医師はお咎めなしなのかということです。さらに不思議なのは、世間一般の常識で考えると、この医師に対してメモをきれいに書けと注意すべきなのに、専門家はなぜそうしないのかということです。

私の違和感はある格言に出会って氷解しました。G・M・ワインバーグの『コンサルタントの秘密――技術アドバイスの人間学』（共立出版）に、「金槌の法則：クリスマス・プレゼントに金槌を貰った子供は何でも叩きたがる」とあります。つまり、「人間は自分の知っているテクニックを（妥当性に関係なく）当てはめたがる」ということです。

この事例の専門家は、取扱説明書を読みやすくする技術や、まちがえやすい作業を二重確認させて確実に行わせるという手法を、今まで愛用してきたのではないでしょうか。その技術を使いたがった結果、先述のような対策案を出したと思われます。

あるいは、この病院の人間組織は縦割り型だったのかもしれません。つまり、看護師に対して責任がある〝看護師教育役〟なる人物がいて、この人だけが事故対策を考えるようにいわれたのではないでしょうか。当然ながら看護師教育役は、「看護師が事故を起こしたのが問題だ。ならば看護師の教育はどう改善するべきか」と考えます。この考え自体はよいのですが、狭すぎます。医師への指導は看護師教育役の権限外だからといって、何もしないようでは事故の再発を防止できるのか疑問です。

この事故例は、「医師が悪い」とも「看護師が悪い」とも「使いにくい機械が悪い」とも捉えることができます。あるいは「仕事が忙しいのが悪い」のかもしれません。問題を捉えるには可能なかぎりすべてを取りあげるのが妥当ではないでしょうか。

このように、問題を妥当に捉えることは意外と難しいのです。

◆人間は、自分の技能や経験や立場に適合するように、問題を捉えがちである。

そして、特定の捉え方をしたのだという自覚がないことがある。問題の捉え方を定めた時点で、責任の行き先と、解決策も定まってしまう。問題の捉え方次第で、特定の関係者が責任から逃れることができる。

問題を捉え直す方法

では、問題の妥当な捉え方とはなんでしょうか。それは、妥当な解決策を導くものです。少ないコストですぐに充分な効果を発揮する解決策が出せるかどうかは、問題の捉え方にかかっています。

〝妥当〟と似て非なる言葉が〝正しさ〟です。問題の〝正しい〟捉え方を考えることは、問題解決のためには適切ではないことがあります。〝正しさ〟という発想自体が、何かの先入観に影響されているかもしれません。「こうでなければならない」「これはまちがっている」という発想は、自分の好みの捉え方と解決法へ誘導するものです。特定の方向にだけ進むのは、最適の解決策から遠ざかる可能性もあります。最善策を探しだすためにも、〝正しさ〟という先入観に捕われず、自由に問題を捉えるべきでしょう。

では、どのような問題の捉え方が可能でしょうか。それは無数にあるのですが、ここでは図3‐1に示す代表的なパターンを紹介したいと思います。

①前提条件の問題だ：無意味なことや無駄なことを「そうでなければならない」と前

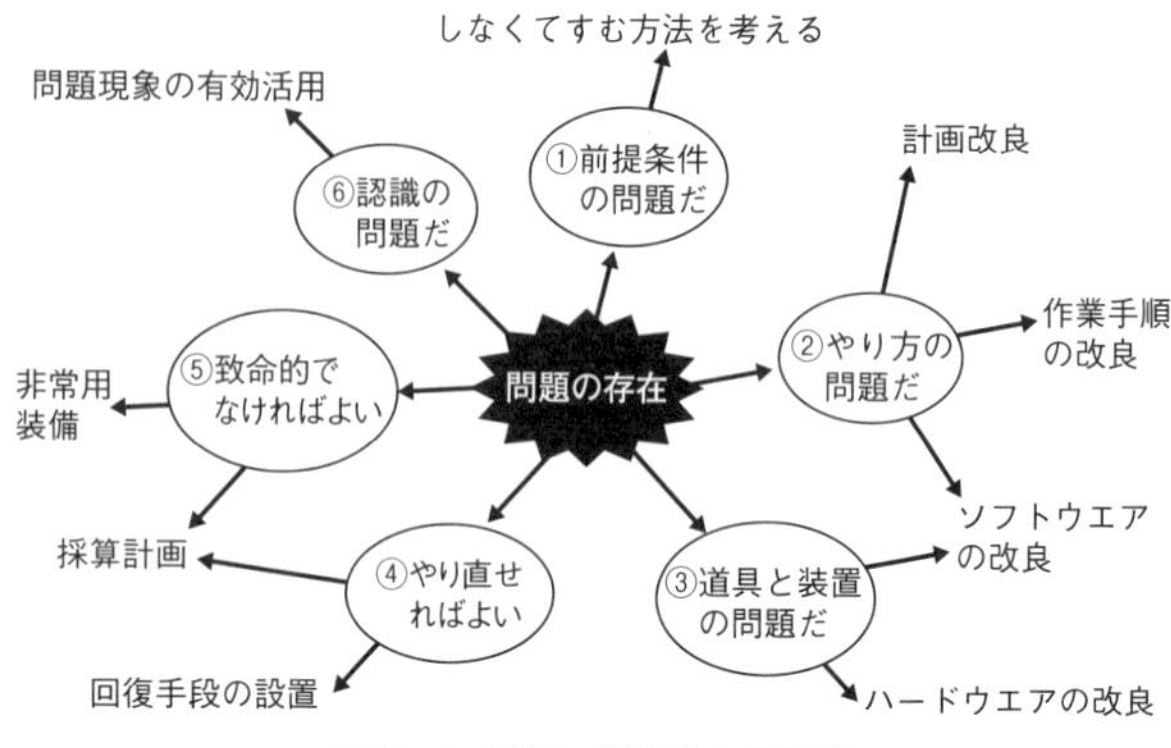

図３－１　問題の捉え方と解決策

提している場合、それをしなくてもよいとする捉え方。

たとえば、「電子メールの宛先をまちがえて送る」という問題の場合、「そもそも連絡作業なしでその仕事はできないか」という捉え方です。電子メールは一世を風靡（ふうび）したためか、いまだにささいな連絡でもいちいち電子メールで送ってくる人がいます。その人に、ささいな連絡の書面通知は不要であると、前提条件からひっくり返すような提言をするのが、このタイプの捉え方です。

②やり方の問題だ：作業のやり方や手順が適切ではないとする問題の捉え方。

「電子メールの宛先をまちがえて送る」という問題に対して、「送り先のアドレスをいちいち手で入力しなければならないことが問題だ」

という捉え方です。

このように考えはじめると、「相手先のアドレスをメールソフトに登録すればよい」などという解決策が思い浮かびます。やり方の問題として捉えたがる傾向は、エンジニアの人に強くあります。エンジニアはうまくいく方法を考えだすのが仕事ですから、どんな問題に対しても、一足飛びに「ならば方法を改良しよう」と決めてかかってしまいます。これ以外にも問題の捉え方はいろいろあるにもかかわらずにです。

③道具と装置の問題だ：作業で使っている道具が適切ではないとする問題の捉え方。

「電子メールの宛先をまちがえて送る」という問題の場合、「電子メールを使っていることが問題だ」という捉え方です。すると、「代わりに電話を使え」などの案が出てきます。これは②の〝やり方〟式の捉え方とよく似た発想です。

④やり直せればよい：まちがうことは仕様がない。まちがいを修正し、やり直せないことが問題であるという考え方。

「電子メールの宛先をまちがえて送る」という問題については、「電子メールを送信した直後に、相手先に確認のための電話をかけ、正しく送ることができたかを確認する。まちがえていたら改めて正しいアドレスに送り直す」という発想になります。デジタルをアナログで補強するという大仰な二度手間ではありますが、大事な電子メールを送るときには、念のため確認の電話を入れるということは安全重視の策といえます。

⑤致命的でなければよい：問題が引き起こす損害が許容できる範囲に収まるように対策を打つ考え方。

「電子メールの宛先をまちがえて送る」という問題では、「機密書類は送りまちがえないようにするべきだが、重要ではない書類はまちがえても気にしないことにする」という発想になります。

もちろん、小さなミスでも損害は生じます。しかし、小さなダメージは甘受して、全体としては採算がとれるようにしようと考えるのです。つまり、この問題の捉え方はコスト管理の発想です。

事故によって致命的な破滅が生じる可能性がある場合、破滅から逃れるための非常手段を備えることを考えます。たとえば船の救命ボートはその代表例です。船全体が沈没しても、最低限人命だけは助かればよいという考え方です。もちろん、ほかの事故対策措置は講じられているのですが、それでも想定外の事故は起こりえます。タイタニック号のように、「対策は万全であり、事故はありえないから、救命ボートは足りなくてもよい」とするのは危険です。

⑥認識の問題だ：「実は有益になりうることを、問題だと誤解していることこそが問題である」という捉え方。

これは逆転の発想です。うまくいけば起死回生の妙案が思いつくのですが、ふつうはそうは問屋が卸しません。

「電子メールの宛先をまちがえて送る」という問題に対して、「いや、なんらかの状況では送りまちがいはよいものだ」と考えるわけです。たとえば、電子メールの文面に店の広告を入れておけば、まったく見ず知らずの人に宣伝ができるというアイデアはどうでしょう。

ヒューマンエラーを装って電子メールを送り付ける手口は、情報セキュリティの世界ではサイバー攻撃方法の一つとして確立しています。第二次世界大戦中、イギリスはまちがって流出した風を装ってニセの機密文書がドイツの手に入るように仕向けました。その情報にドイツはまんまとだまされたのです。

歴史的な大発明には、この「禍(わざわい)を転じて福と為(な)す」や「転んでもただでは起きぬ」タイプの発想が非常に多いようです。たとえば、非常に力の弱い接着剤ができてしまったという失敗から、ポストイット付箋紙が発明されました。世紀の発明トランジスタも、もともとは実験の失敗から見つかったものでした。

自分にとっては有害で邪魔であると思えるものであっても、他人にとっては宝物かもしれません。ある状況では厄介な現象も、別の用途に対しては都合がよいかもしれません。とくに自然界ではこうした関係が頻繁に見受けられます。見た目が気持ちの悪いクモも、害虫を食べてくれることで人間に利益を与えてくれています。

逆転の発想型の妙案は簡単には思いつきませんが、起死回生のメリットは大きいだけに、考えをあきらめることは惜しいものです。

さらに考えを進めると、先述の例とは逆に、有益であると考えていることが実は有害で、問題の根源になっていることもありうるといえそうです。「○○は有益だからやらなければならないと思っていたが、実はやらないほうがよかった」というケースです。これは最初に紹介した①の前提条件の捉え直しのパターンそのものです。

◆問題に遭遇したら、最低六通りの捉え方をしよう。

それでも問題は起こるもの

問題を解く勇気が出てきたところに水をさすようですが、「問題が消え去ることは稀(まれ)である」という残念な経験則について考えてみたいと思います。

ワインバーグは『コンサルタントの秘密』の中で、こんなことをいっています。

第一番の問題を取り除くと、第二番が昇進する

問題解決のための努力は、問題を扱いやすい形に変換するものにすぎず、問題の存在自体を消滅させることは稀です。そのことを、列車事故における乗客の脱出避難方法という問題を例に考えてみましょう。

列車のドアの近くには、「非常用ドアコック」というものが設置されていることをご存じでしょうか。少し旧型の車両では図3－2のようにドアの脇の座席の下にあります。新型の車両ではドアの上に設置されて、コックの蓋には次のように、なんのためにどう使うものなのか、説明が書かれています。

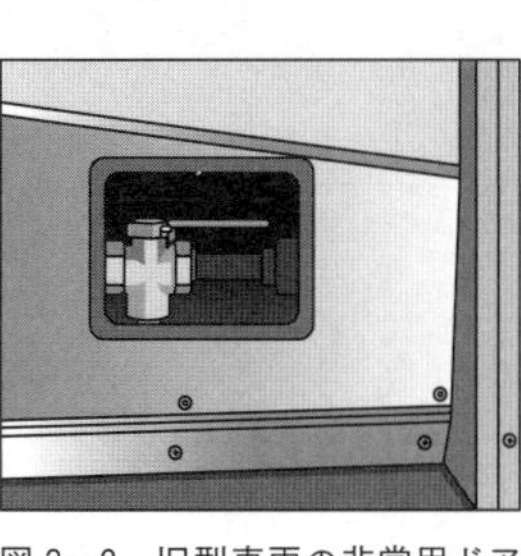

図3－2　旧型車両の非常用ドアコック
低い場所にあるので、手を伸ばしにくく、目立たない。しかもそばには説明もない。

非常用ドアコック
中のハンドルを手前に引けば、ドアは手で開けられます。
あぶないですから、非常の場合以外は外に出

ないでください。

係員の指示があった場合にはそれに従ってください。

旧型のように位置が低いと、存在は目立たないし、満員の際に手が届くかわかりません。幼児の手の届く位置ですから、いたずらされる危険もあります。かといって、新型のように高い位置に設置すると、背の低い人はいざというときに扱えないおそれが出てきます。このように、問題が変換できても、問題の存在自体がなくなっていません。

ところで、非常用ドアコックとは、なぜ設置されているのでしょうか。

その由来は一九五一年の国鉄京浜線桜木町列車火災事故にさかのぼります。この事故は、桜木町駅付近を走行中の満員電車に火災が発生し、中に閉じこめられた一〇六名もの乗客が焼死したというものです。工事のミスで架線が垂れ下がり、電車のパンタグラフと絡まりショート。運の悪いことに、この電車は戦時規格のもとでつくられた安普請(やすぶしん)のもので、車体にはベニヤ板などが使われていました。天井から燃えはじめた電車はあっという間に炎上しました。満員の乗客はパニック状態に陥りました。しかし、自動扉は電気が使えないので開きません。もしここで乗務員がドアコックを操作して、手動でドアを開ける措置をとっていれば、かなりの乗客は脱出できたことでしょう。しかし、なぜか乗務員はそうしませんでした。袋のネズミとなった乗客たちは、窓や通路などのほかの逃げ道に殺到。しかし、これらは狭く、人間で詰まってしまいました。そうして、折り重なったまま焼け死んだという、悲惨な事故です〔くわしくは、佐々木冨泰・網谷りょういち著『続・事故の鉄道史』(日本経済評論社)を参照してください〕。

この事故を受け、非常時には乗客が自らドアを開けて脱出できる手段を講じるべきではないかということになりました。そして、設置されたのが非常用ドアコックなのです。

桜木町事故のような事態が起こりうると、あらかじめ気づいていれば、もっと早く非常用ドアコックが設置され、もともと事故は起こらなかったでしょう。人災の面の多い桜木町事故ですが、想定しきれなかったという点では、未知の現象が原因の一端であるともいえます。

こうして、第一番の問題である「乗客が自分の裁量で脱出できない」ことは消滅しました。

すると、第二番の問題が昇進します。乗客の脱出が裏目に出る事故発生です。

一九六二年の常磐線三河島事故がそれです。この事故は、列車同士の軽い接触という小さな事故が発端です。立ち往生した列車からは、乗客たちが非常用ドアコックを使って外に出て、勝手に線路を歩きだします。その線路に別の列車が突入。列車が乗客を次つぎと轢き大惨事になりました。

この三河島事故によって、「事故が起きたら、安全が確認されるまでは付近の列車もふくめて列車をすぐに停めなければならない」と規則が改正され、列車制御装置などの導入が進められました。

さて、第二番の問題が解決すると、今度は第三番の問題が昇進します。

事故が起きたら列車をすぐに停める方針は、一九七二年の北陸線北陸トンネル内列車火災事故では裏目に出ます。この事故では、食堂車から火災が発生。三河島事故の教訓にしたがって、列車を停止。しかし、そこは全長一四キロメートルもある長大なトンネルの中ほどの位置だったのです。当然、乗客は煙に巻かれ、多くの死傷者を出すことになりました。

この事故を受けて、トンネル内の列車火災では、トンネルを抜けるまでは列車を停めないこととする規則改正や、可燃性の車両を全廃する経営政策などの解決策が打ちだされました。かつては、図3-3のように乗客が非常ブレーキを操作して列車を停止させることもできたのですが、北陸トンネル事故以降は、「トンネル内では使用しないでください」と注意書きが書かれるようになりました。現在ほとんどの鉄道では、乗客が直接に非常ブレーキを扱うことはできません。代わりに非常通報をする方式になっています。

現状は、この第三番の問題が片づいた段階です。ワインバーグの意見にしたがえば、おそらく第四番の問題が待ちかまえているはずですが、われわれはそれが何であるか知りません。未発生の問題を先手を打って防ぐことは非常に難しいのです。また、第四番を予想し未然に解決できたとしても、それで終わりではありません。問題の形はどこまでも何番までも存在しています。問題を完全に消去しようとするなら、永久に考えを進めなければなりません。かといって、問題を解決しなくてもよいわけではありません。少しでも、事故が起こりにくく、被害が小さくなるように、問題を変換していく努力は必要です。事故防止とは、こうした問題変換の作業によって徐々に完成に近づいていくものだと思います。

非常の場合は
この赤玉をお引き下さい

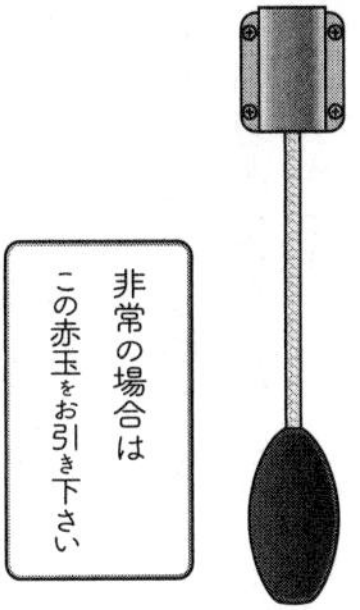

図3-3　乗客が直接非常ブレーキをかけられる時代もあった

◆勝って兜（かぶと）の緒を締めよ。問題を解いたときは、次の問題のはじまり。

二　問題解決への作業

誰が問題に取り組むべきか

問題が発生したとき、どの立場の人間が問題の鎮圧と再発防止の努力をするべきでしょうか。

人間の立場は、問題との関係で、次の三通りに分類できます。

①被害者……問題から被害を受けている人。被害が漠然としている場合には、本人に被害者としての自覚がないこともある。

②加害者……問題を引き起こしている人。加害者が存在しない場合や、みんなが少しずつ加害者であり、誰かにだけ特定できないこともある。

③キーパーソン……その人が行動すれば、問題が効率的に解決できる人物。

問題の認識は、まず被害者が声をあげることからはじまります。たとえば、ヒューマンエラーの事故が多発しているなら、現場の安全責任者は「事故を減らしましょう！」と号令をかけます。このまま事故が減らなければ、安全責任者はクビになるという損害を受けるからです。

現場の作業員も、事故によって自分の身体が危険にさらされ、会社の業績が悪化して給料が下がるという不利益を被ります。つまり被害者なのです。しかし、作業員が率先して事故防止の音頭をとるということは、必ずしも当たり前のことではありません。「誰かがいつかケガをするかもしれない」「このミスが自分の給料に多少の損を与えるのかもしれない」という漠然とした認識はあっても、自分が被害者であると思わないものです。なぜなら、自分が被害者であると認識しているのなら、すぐさま事故防止のための行動を自発的に起こさなくては自己矛盾に陥ってしまうからです。被害があるのかないのかよくわからない段階で、面倒な活動をはじめて目立つことには躊躇（ちゅうちょ）してしまいます。

こうした自覚のない被害者の存在は、問題の解決を大きく妨げます。問題の実態は、被害者が最もよく知っているものです。被害者が自ら語らないかぎり、何がどう問題なのか調べることができません。せいぜい、「最近、職場全体でミスが多いね」程度で終わってしまいます。真の調査とは、もっと踏みこんで、事故発生の具体的な理由を突き止めるものです。たとえば「最近導入したこの機械が使いにくい」という現場の実情を聞きとるには、当事者が被害者としての自覚をもたないといけません。

次に、加害者について考えてみましょう。われわれはついつい、問題を引き起こしている加害者を発見し、糾弾し、その迷惑な行為を止めさせれば問題は解決するという考えに陥ってしまいます。しかし、それで解決できる問題ばかりなら苦労はしません。現実の問題はもっと複雑なのです。

まず、加害者が存在しないという場合があります。自然環境や社会状況の変化によって、問題が生じた場合は、人の責任ではありません。

また、政府や企業などの巨大な官僚機構は、その構成員の誰も望んでいない結果を組織全体としては生みだしてしまうことがあります。構成員は、大きな仕事のごく一部にしか携わることができず、結果の善し悪しを知らないまま、規則にしたがって処理を進めてしまいます。構成員は従順な部品にすぎず、悪意をもった加害者なる人間は存在しないのです。これは近現代社会の特有の病状で、カフカの小説や、映画『CUBE（キューブ）』などに見られるように、たびたび題材にされています。

また、当事者全員が少しずつ加害者であるということもあります。たとえば、通勤ラッシュの満員電車。通勤客全員がつらい通勤を強いられる被害を被っていますが、その加害者はその通勤客全員であるとも見なせます。社会生活では、少ない資源をみんなで分けあって使うという状況が非常に多いのです。こうした状況で問題が発生すると、誰かがとくに悪い加害者と決めつけることは難しく、また無意味でもあります。

どうやら、加害者の詮索は思ったほどには有効ではないといわざるをえません。

さて、第三の存在、キーパーソンを考えてみましょう。キーパーソンとは、問題の急所を突くことができる人です。

たとえば、満員電車の通勤がつらいという問題に対して、会社を郊外に移転するという解決がとれれば、問題はきれいに解決できます。するとこの場合、キーパーソンになるのは会社移転の権限をもつ人、つまり社長ということになります。

人間の立場には違いがあります。ここで指摘したいことは、立場の違いを乗り越えられないことが、問題解決の障害になるということです。キーパーソンが被害者でもある場合には、問題は簡単に解決します。すなわち、キーパーソンが自発的に行動を起こし、問題を消滅させ、被害をなくそうとするからです。

逆に、キーパーソンが被害者ではない場合、問題は長引きます。たとえば満員電車の問題では、社長は満員電車で通勤していないという場合、なかなか会社を郊外に移転するという決断はなされないものです。また、当事者に被害者としての自覚がない場合も、先述したように問題の実態がわからず、解決は遠のきます。

立場の違いをなくす

このように問題が解けない場合は、立場の違いをなくすようにしなければなりません。それには、問題を〝広げる〟という手段しかありません。問題に巻きこまれる人を増やし、問題解決の需要を拡大するのです。広げる手段には、説得・法的制度・闘争の三つの形態があります。

説得とは、キーパーソンに「あなたも被害者ですよ」と理解させる方法です。一番穏やかな手段です。満員電車の事例では、社長に「満員電車によって社員の士気が下がり、会社の業績に悪影響をおよぼしているけれど、あなたはそれでもよいのか」と、被害者としての自覚を促します。こうして、キーパーソンや無自覚な被害者を被害者団に巻きこみ、問題解決の動機づけをします。

法的制度とは、キーパーソンを被害者団に強制的に巻きこむ法の力を借りる方法です。たとえば、工場の経営者は、法律によって安全に責任をもちます。使いにくい機械を使いやすいものに買い換えないと、作業員がケガをする危険があります。もし一九世紀のように労働者保護の法律がなければ、作業員がケガをしても、経営者は気にもとめないかもしれません。しかし、現在は法的制度があることによって、経営者も事故によって多大な罰を被ることになります。したがって、キーパーソンである経営者は被害者団に強制的に加入させられているのです。

闘争とは、被害者が自分たちの被った損害に連動する形でキーパーソンに別の被害を与える行為です。たとえば、作業員がケガをしたら、安全対策がなされるまでストライキを打つという行為がそれです。作業員が被ったケガという損害と、経営者がストライキで被る経済的な損害とは別の内容ですが、それを連動させるというところがミソです。ケガという被害がなくならないかぎり、ストライキも止めないぞと態度表明して、キーパーソンである経営者も同じ事故をめぐる被害者と一蓮托生（いちれんたくしょう）にしてしまうのです。こうして問題の解消をキーパーソンに迫ります。

闘争は軋轢（あつれき）を生み、もともとの問題よりもさらに大きな問題を引き起こす危険があります。しかし、世の中には闘争行為が絶えません。これは、一般にキーパーソンは説得や法律によって行動を起こしにくい傾向にあるからです。被害者ではないキーパーソンは、他人の利益にしかならないことのためにわざわざ行動を起こすという動機を感じにくいのです。とくに何もしなくても問題ないと思っています。ましてや、被害者が闘争行為を使って利害を強引に連結させる戦術に出るとは、キーパーソンは思っていません。しかし、追いつめられた被害者は、正当か不当かはさておき、闘争の手段を選ぶしかありません。このようにして、本来なら説得ですむものが、闘争にまで発展してしまうのです。

◆キーパーソンが被害者団と一体化したときに、問題は解決に向かう。

部署縦割りの弊害

問題解決の秘訣は、タスクフォース（特命作業班）を編成して問題に対処することにあります。会社組織の中で起こる問題に対して、いちいち説得や闘争をくり返していては、問題解決の効率が悪いですし、人間関係も悪化します。

そこで、問題解決担当部署が常設されるようになりました。問題解決担当部署の人びととは、問題を解決しなければクビになるという、いわば社内の法的制度によって、被害者団に強制加入させられています。そして、担当者は問題解決のための権限をもつことを許されており、キーパーソンでもあります。こうすれば、キーパーソンが被害者に加わるため、問題が解決するというのが問題解決担当部署制度の眼目です。

しかし、この制度は必ずしもうまく機能しないことがあります。問題解決担当部署の設置の仕方が縦割りであり、問題を一面的に捉えてしまうからです。担当部署の設置は、実際に問題が発生する前に問題のパターンを予想して行ったものであり、また専門的で縦割り式であるという特徴があります。たとえば、図3－4のように、労務担当部、設計担当部などと専門的部署を置き、それぞれが問題に取り組みます。

このような状況では、同じ問題を各部署がバラバラに解決しようとします。問題の捉え方は自分の部署の視点からのものであり、とても狭い視野の中で考えます。解決方法も、自分がもつ権限の範囲内でできることしか考えません。そのため部署間の権

図3-4　部署主義では問題の一面しか見られない

限範囲の隙間に落ちた問題は、誰も手をつけないまま放置されるか、たらい回しにされます。

また、同じ問題に対して、部署同士で互いに矛盾する行動をとることもあります。たとえば、二〇〇一年のアメリカ同時多発テロ事件の半年後、すでに死亡しているテロ実行犯に対してアメリカ移民局が留学生ビザを発給するという出来事がありました。

結局、専門部署に問題を割り振る方式では、妥当な解決は得にくいといえます。問題全体を一体として考え、問題の捉え方を試行錯誤し、根本的で効率的な解決策を考案し、それを権限をもって実行することは不可能でしょう。

安全工学に関する本では、しばしば〝ハインリッヒの法則〟なるものが引用されます。これは、「一つの重大事故の背後には二九の軽微な事故が存在し、さらにその背後には三〇〇の事故にいたらなかった異常が存在する」とする経験則です。この経験則が意味するところはなんでしょうか？　表面的には「一つの事故には多数の前兆がある」という意味に見えます。しかし、私は「大事故になって表沙汰（おもてざた）になるまで、問題は解決されない」というのが真の意味だと思います。前兆を知っている人や、その担当である部署は、いちおう存在するのです。しかし、部署が存在していても機能しないということが〝ハインリッヒの法則〟の警告するところではないでしょうか。

タスクフォース（特命作業班）

こうした反省に立ち、新しい企業マネジメントの方法として提案されたのが、タスクフォース、すなわち特命作業班による問題解決です。

タスクフォースは、従来の問題対応部署型の組織とは決定的に異なる特徴をもっています。

- ●特定の課題に対して、人員が招集される。課題が人間の接着剤である。
- ●人員は、全組織の中から広く集める。
- ●人員の人脈の広さを重視する。
- ●人員の専門性は重視しない。
- ●課題を達成するために必要な権限は、タスクフォースの側から要求し、組織はそ

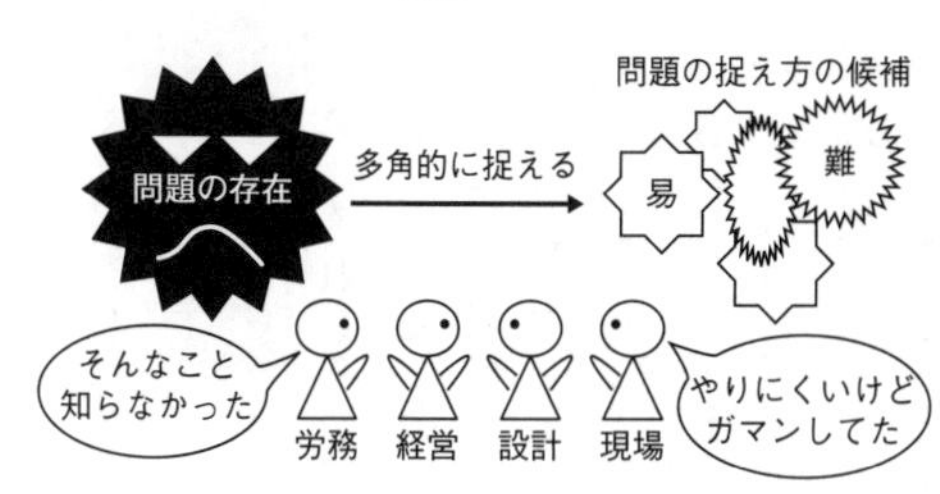

図3-5　部署の壁を越えた連携が妥当な解決を導く

れを認める。

●タスクフォースの成績評価では、その活動におけるコミュニケーションの濃密さを重視する。課題解決の評価は二の次である。

●課題が達成されれば解散する。タスクフォースの永続的設置は避ける。

●組織の長の指示によらずに、従業員が自主的にタスクフォースを組織し解散する企業文化が醸成されることを目指す。

たとえば、図3-4のように、会社の各部署がバラバラに考え対策をとっていた問題を、図3-5のように、タスクフォースを組んで解決します。同じ問題であっても、違う立場にある人間は、ずいぶん異なった捉え方をしています。タスクフォースとして会合することで、多様な問題の捉え方を知ることができるのです。

Ａ「うちの部署では、ＦＡＸの送りまちがいをしないように、ＦＡＸ番号を復唱させている。それでもヒューマンエラーがたまに起こって、まったくの赤の他人へ書類を誤送してしまう」

Ｂ「えっ！　今さらＦＡＸなんか使っているの？　なぜ、電子メールを使わないの？」

Ａ「だって、電子メールを受けとれない顧客もいるからさ」

Ｂ「それなら、郵送すればいいのでは？」

Ａ「それじゃ遅くて仕事にならないよ」

Ｂ「いや、電子メールを受けとれない顧客は、急いでいるのか？」

Ａ「それは知らんが、どんな事務でも三日以内に行うことが、業務品質管理の目標になっているから」

Ｂ「じゃあ、その目標は融通が利くように改正しよう」

Ｃ「いっそ、書類なしでできませんか？」

Ａ「はあっ？」

Ｃ「受注の処理は電話だけですませられませんかね。どうせ伝票は、出荷の際に荷物に同梱するわけですから、書類の移動はそのときまで待てばいいじゃないですか」

D「電話じゃなくて、ネットショッピングみたいにウェブベースの注文受注にしたらどうだろう。客先のFAX番号を入力するのは客自身だ。返事はコンピュータが自動でFAXするわけよ。こうすれば、たとえFAX番号のまちがいが起きても、その責任は客にある」

A「そこまでの大改革は予算的には厳しいな。Cさんの電話の案なら、金がかからないからいいけど」

という具合に合議するわけです。一つの問題をめぐって、さまざまな捉え方、それに応じた解決策、制約などがあるものだとわかります。

タスクフォースが社長命令で編成招集され、会議室のような堅い雰囲気の中で行われているようでは、まだまだ文化が根づいていません。一回目の課題に対するタスクフォースはそれでもかまいません。しかしその後、別の課題が湧いて出たときは、一回目で培(つちか)った人脈を活かし、タスクフォース一期生が、自発的に声をかけあって、第二次タスクフォースをつくりあげるようになりたいものです。

人間は必要に迫られれば、タスクフォースを迅速につくることができます。映画『ユナイテッド93』では、互いに初対面のごく平凡な人びとが、わずかな時間の中でチームをつくり、一丸となってテロを食い止めたという実話が描かれています。タスクフォースを理解するには、この映画を観るとよいでしょう。

◆問題をさまざまな側面で分割して担当者に割り振るのではなく、問題まるごとに対抗する作業班をつくる。

柔軟性が問題を解決する

タスクフォースの活動は、解決策のアイデアの出しあいがすむと、解決策に伴うコストの負担者への交渉に移ります。

問題解決はしばしば、誰かに〝新たな〟負担をかけるものです。そして、〝新たな〟負担というものは、実態以上に大きく見えるものです。そして負担をかけられる側は難色を示すことがふつうです。この交渉は、柔軟性を発揮することがポイントです。

「この解決策は傑作である。だから一歩も譲らないぞ」という態度は、人間関係を悪化させ、組織の風通しを悪くし、タスクフォースを生みだす企業文化を損ないます。

何ごとも、一回目の活動で大改革を行うことは難しいものです。抵抗に遭遇して当たり前。小幅だが実現可能な前進を目指しましょう。手軽な改革を行うか、大きな改革の試運転だけを行うなど、スムーズに導入できることから着手するのです。

たとえば、鉄道のホームから線路へ乗客が転落しないようにするという課題を考え

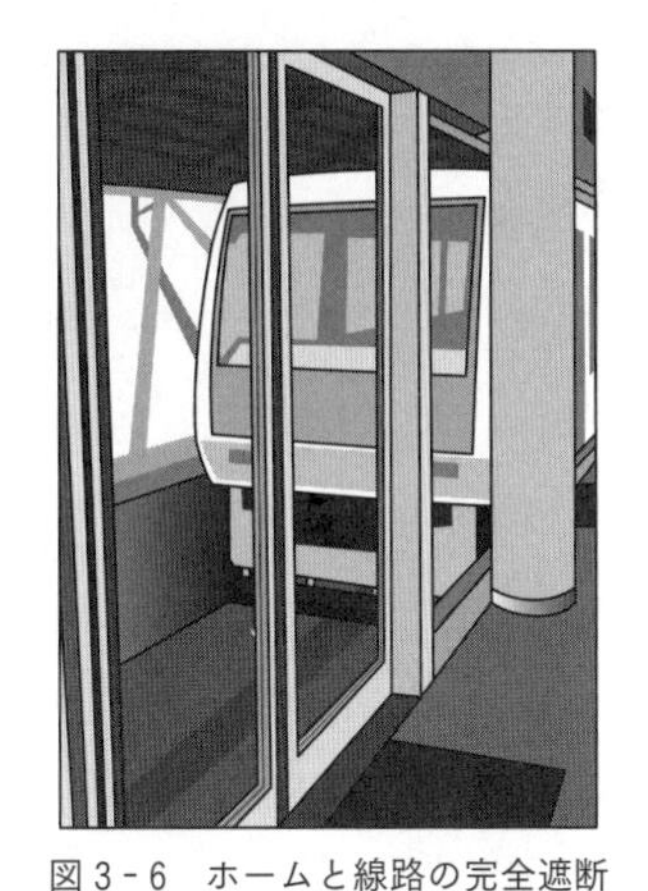

図3-6　ホームと線路の完全遮断装置
ここまでお金をかければ安全性は高まるが……。

図3-7　ホームの柵
完全ではないが、転落防止にはそれなりの効果がある。

ます。完全な対策は、東京の新交通システムのゆりかもめ線（図3-6）のように、完全にホームと線路を壁と自動ドアで仕切るというものです。しかし、これはお金がかかりますから、採用されにくいでしょう。しかし、なにも完全な対策だけが効果があるのではありません。簡易的ながらも図3-7のように、ホームに柵を設置するだけでも、かなり効果があるのではないでしょうか。最近は多くの駅に本格的なホームドアが普及してきたとはいえ、なおも未設置の所も残っています。本格版の設置は簡単ではないのです。

タスクフォースの活動の真の目的は、他部署とのコミュニケーションの実績をつくることにあります。一度、人脈が動きだせば、こちらの意見や相手の感想を交換することができます。当初は思いつかなかった、より妥当な解決策が見えてきます。小さな改革で効果があれば、追加の負担増も受け入れやすくなるでしょう。

◆完全な問題解決を性急に求めず、確実な第一歩を踏みだそう。

組織の風通しをよくする

問題解決の切り札ともいえるタスクフォース。しかし、現実の人間組織の中でタスクフォースの文化を育てることは、しばしば困難を伴います。それは、政府や企業などの人間組織が、官僚制というタスクフォースとはまったく逆の方向に向かって発展していったからです。

ドイツの社会学者、マックス・ヴェーバーは、政府や企業のように、大量かつ専門的な事務をこなすためには、縦割りの官僚制を導入せざるをえないといっています。

政府や企業は、その初期段階では、創業者の独裁によって運営されています。組織が小さいため、王様がすべての案件を自分の独断で決定していけます。ちょうど、桶狭間(はざま)の戦いのころの織田信長がこの段階です。

組織のサイズがある程度大きくなると、王様は忙しくなり、また専門的な案件もぽつりぽつり出現してきます。そこで、仕事を分担する中間管理職として重臣たちを置き、たまに臨時の諮問会議を招集して、難しい案件を処理させます。桶狭間後の信長が、柴田勝家や羽柴秀吉をたまに重臣として登用し合議した段階がこれにあたります。

そして事務の量が増え、その処理に専門的な知識が必要となると、臨時の重臣諮問会議が、常設の諮問会議になり、ついには合議制の重臣会議になります。王様が独断できるような単純な案件ばかりではなくなってしまうのです。江戸幕府の老中や若年寄による合議制行政はこの段階です。

さらに、事務の効率と正確さを求めるなら、世襲による重臣登用はやめ、能力試験で選抜した事務スペシャリストである官僚を使ったほうがよいとなります。こうして官僚制が登場します。

政府や企業は、専門分野ごとの官僚組織に縦割りにされ、横のつながりを失っていきます。ヴェーバーは、官僚制が組織全体の横のつながりを失わせる理由について、その専門性をあげています。ある部局が行っている事務作業は、外部の人間が理解するにはあまりに専門的で難しい。また、官僚の側も外部に知られないように、自分たちがもつ技術を高度化し、情報を秘匿する傾向があります。こうした〝専門性の壁〟のおかげで、外部から干渉されることがない。あとは、無難に仕事をこなしていけば、規定どおりに昇進して定年まで安心して暮らせるという寸法です。

つまり、官僚制は事務作業の膨大化・専門化と、人間の人事安定願望とが産んだ制度なのです。

成長過程にある人間組織では、必ず官僚制が発達します。そうしなければ、事務作業がこなせません。

臨機応変なタスクフォースは、いわば重臣臨時諮問会議の段階です。組織の発達度をこの段階に巻き戻すことは、作業効率の面からいえば賛同を得にくいでしょう。だからといって、縦割り型組織のままで、さまざまな問題に取り憑かれ組織の体力を消耗し、やがては大事故を起こして崩壊するという、大企業病お決まりのコースを甘受するわけにはいきません。

いかにうまく各部署との折りあいをつけてタスクフォースを実施できるか。これは組織存亡の一大事として真剣に考えるべき事柄でしょう。

◆大きな組織はその本質として、タスクフォースを嫌う。

三　小さなミスこそ重要

事故を起こした人間は、それを隠したがるものです。

小さなミスならまだしも、それなりの損害が出ている事故を上司に正直に報告することは、自分の立場を危うくします。少なくとも社内的な罰を与えられることは覚悟しなければなりませんし、悪くすると法的責任を問われることもありえます。

また、小さなミスも看過できません。隠し通せる小さなミスをわざわざ上司に報告して、自分に不利益を招くことは馬鹿馬鹿しい。事故報告書として書面にまとめる作業は面倒くさいし、時間もない。このような理由で、むしろ小さなミスほど隠蔽（いんぺい）されやすいといえるでしょう。小さなミスは隠し、大きなミスは隠しきれないのでしかたなく〝報告〟されているだけという企業風土は珍しいものではありません。

事故を防ぐ観点からすると、小さなミスの報告はきわめて重要な情報です。小さなミスは大事故の前触れなのです。ハインリッヒの法則によれば、大事故の発生に先立って、およそ三二九個の小さなミスが発生していることがふつうです。小さなミスの報告が集まってきた段階で事故対策を行うことにしても、大事故には間にあいます。

「仏の顔も三二九度まで」と考えると、ずいぶん大事故発生までは余裕があるように感じます。しかし、小さなミスが報告も集計もされないのでは、仏の顔が何度OKでも、大事故が起こるまでは事故対策がなされません。このパターンはこれまでしばしばくり返されてきました。

それでは小さなミスの情報は、どのように吸いあげればよいのでしょうか。要点は次の二つです。

①小さなミスを再発見する。頻発する小さなミスは、それが〝事故の予兆〟〝事故の芽〟であるという認識を麻痺させる。現場の当事者は、ありふれた不効率現象と思っている。

小さなミスの再発見のために、セーフティ・バイ・ウォーキング・アラウンドという方法が考案されました。従業員同士が互いに他部署の現場を歩きまわって、「これは危ないのではないか？」と指摘していく活動です。まったくの他部署の人からは、第三者としての素人目線からの意見が出ます。また、その現場の工程の上流・下流の担当者からは専門的な指摘が出るでしょう。

部署の壁を越えるという点は、タスクフォースと共通の発想です。タスクフォースが課題に応じて招集されることとは異なり、ウォーキング・アラウンドは、問題が出ていないときでも現場を見てまわります。ふだんからの事故予防を目指し、職場の安全文化を醸成することに狙いがあります。

従来から行われている安全担当者による〝巡察〟や〝巡視〟は、ウォーキング・アラウンドとは似て非なるものです。〝安全担当者〟だけが巡察するのでは視野が狭すぎます。できるだけ多くの部署から人間を集めて、人材の混成旅団をつくって歩きまわらなければ、小さなミスを拾いきれません。

また、社長など〝偉い人〟の視察はお膳立てがなされ、実態を隠されることがあります。こんな話があります。元ＩＢＭ社長、ガースナーがある事業所を視察しました。するとあとで、とある従業員から「あなたの通った廊下だけ、ペンキをきれいに塗り替えられていました」とメールで密告を受けたそうです（ルイス・Ｖ・ガースナー著『巨象も踊る』日本経済新聞社）。サントリーの創業者、鳥井信治郎は一枚上手で、工場に行くとドブ板まで開けて「掃除がなってない」と注意したそうです（開高健・山口瞳著『やってみはなれ　みとくんなはれ』新潮社）。お膳立てのコースから外れ、小さなことでも「一事が万事」であると注意するような社長でなければ、視察で事故は減らせません。

②自分の犯した小さなミスを報告しても、報告者の不利益にならないようにする。
たとえ上司が、「どんなに小さなミスでも報告するように。それによって、あなたが不利になることはありません」といったところで、正直にミスを報告するお人好しは、そうはいません。

小さなミスを報告したときに、「正直に報告してくれたね。ありがとう」といわれても安心できません。一週間後に、そのミスを発端とする大事故が起こることもありうるのですから。そうなれば、上司に叱責され処分されるだけでなく、下手をすると警察がやってきて刑事罰を加えられるおそれすらあります。

結局のところ、ミスの報告は警察や司法当局までふくめた免責保証を行わないかぎり、安心できないものです。

そこで、司法による免責まで保証したミス情報通報が、アメリカの航空業界では採用されるにいたりました。アメリカ航空安全報告システム（ASRS）です。

このシステムの設立のきっかけになったのは、一九七四年のワシントン・ダレス空港付近墜落事故でした。この空港に着陸しようとしていた飛行機が、空港付近の山に墜落したというものです。事故の調査を進めたところ、この事故より前に別の航空会社の飛行機が同様に墜落しかけていたことが判明します。その会社では、空港の近くに邪魔な山があるため注意すべきことを社内に周知させていました。この情報が会社の壁を越えて業界全体に伝わっていれば、墜落事故は防ぐことができたわけです。

これを重く見たアメリカ政府は、情報収集制度も発足させます。事故や事故寸前の出来事に遭遇したら報告するというものです。通報者が尻込みしないように、次のような破格の特権を与えています。

●匿名性の厳重確保……通報内容をていねいに処理し、個人名、会社名、地域名が類推できないようにする（これができたのは、航空業界が匿名化になじみやすい業界だったということもある。どの会社も同じような飛行機を使い、同じ空港を使っているのだから）。

●免責特典……自分の失敗を告白してもその失敗を処罰されない。よほど重大なミスは責任を問うとされているが、通常はまず免責。先述の例でいえば、機長が「ダレス空港の近くの山にぶつかりそうになった」と告白したとして、この責任を問うようでは、通報してもらえない。これでは事故は防げない。

このASRS制度は成功したと学界では見なされています。この制度のおかげで、飛行機機材、空港設備、管制方式などにおける、まぎらわしい点や、やりづらい点が次つぎに指摘され、改善されていきました。

この成功を受けて、アメリカでは医療事故を防ぐためにも、ASRSに似た免責つき匿名通報制度を導入するという案が出ています。

◆風通しのよさが大事故を防ぐ。

四　事故の責任は誰がとるべきか

日本の司法習慣では、事故の責任は現場の当事者だけが問われるという傾向があります。

専門性の壁

たとえば、二〇〇五年に起きた、東武線竹ノ塚駅における手動式の踏切での死傷事故を取りあげましょう。この踏切は遮断機の上げ下げを踏切保安係が行っていました。人間が開閉するのですから、当然まちがえる危険は大きくなります。しかし、機械が自動で行うのとは異なり、人間なら開閉に多少融通を利かせられるメリットがあり、二十一世紀になっても存続していたようです。

裁判で東京地裁は、現場の責任者である踏切保安係に禁固一年六か月の実刑判決を下します。その一方で、手動踏切の使用や内規を曲げての運用が常態化していたことについて、事故の背景事情ではあるが、主要な原因とはいえないとしました。つまり、現場を管理する上層部の刑事責任は問わないということです。

現場の作業員を罰すれば、ほかの作業員の気持ちは引き締まり、事故が減るだろうという発想のようです（ただ、それでは当事者に厳しすぎるので短い禁固刑にとどめ、それでも死者が出ているので実刑にするという方式が量刑の慣例になっています)。

責任問題を問うとき、ヴェーバーが指摘した〝専門性の壁〟の効果も忘れてはいけません。専門的で複雑な作業ほど、当事者の責任が問いにくくなります。一方、単純な作業での事故は、その経過も単純明快で、「現場の人間がミスをしたのは確かであるから有罪」と判断しやすいのです。

二〇〇一年の焼津市上空旅客機ニアミス事故では、管制官が二つの飛行機の便名を取り違え、誤った指示を与えたことにより、両方の飛行機が異常接近したものです。東京地裁は、便名を取り違えた管制官らを無罪としました。便名の取り違えは不適切ではあったが、ニアミスとは直接関係しないので、実質的危険性はなかったと判断されました（私には、直接関係しているとしか思えません）。しかし、裁判官が、航空管制の複雑なしくみを理解し、有罪判決を下せるほどに強固な理由を組みあげるのはたいへんだろうなとも思います。だから「疑わしきは罰せず」になってしまったのでしょう。

〝専門性の壁〟は減刑の作用もあるようです。

二〇〇二年に、東京慈恵会医科大学附属青戸病院にて腹腔鏡手術の失敗という事件がありました。前立腺がんの摘出手術だったのですが、医師らはまったく不慣れな腹腔鏡を使いました。当然、手術は難航しました。それでも医師らは、経験を積むために延々と腹腔鏡を使いつづけました。そして患者は過大なダメージを受け、術後に脳死状態になり、一か月後に死亡しました。

東京地裁は、この医師らに執行猶予つきの禁固刑を判決しました。医師の責任も認めつつ、病院の責任にも言及しています。病院の管理体制のズサンさと、病院が遺族に対して「死因は心不全」と嘘（うそ）をついていたことを考慮し、当事者の医師らに全面的に責任を負わせるべきではないと判断したのです。実刑が下された竹ノ塚駅踏切事故と比較するとずいぶんと違います。

上司？　当事者？

このように、裁判所が現場の作業員に対して出す判決は、きわめて予想しがたいものです。また、司直は現場の当事者だけを起訴する傾向がありますから、事故現場にさえいなければ、裁判にもかけられずにすむということになります。事故の責任は、上司と部下のどちらにどれだけとらせるものなのでしょうか。現場だけを裁くのは倫理的に妥当なのでしょうか。

古代ローマ時代には、〝野獣の原則〟という法原則がありました。ライオンが檻（おり）を抜けだし人を襲った場合、ライオンの管理者が責任をとらなければならないとされていたのです。つまり、危険物による事故は、危険物の管理者が責任をとるということです。ただし、危険物の管理者の管理者が責任をとるべきかは不明確です。

逆に、部下のほうが責任を問われないという場合もあります。「上司の指示に従ったまでであり、事故になるとは思いませんでした」という弁明が成り立つ場合です。

しかし、医学での〝ヒポクラテスの誓い〟には、「知りながら害をなすな」とあります。自分の行為が他人へ害をなすと知ったなら、たとえ上司の命令であってもそれを行ってはならないという倫理規定です。この見地に立つと、危険を知り得た現場の当事者には重い責任があるといえます。もちろん、上司にも重い責任を課さねばなりません。

〝ヒポクラテスの誓い〟の真逆の現象として、〝ミルグラム効果〟というものが心理学で知られています。これは、ごくふつうの善良な人間であっても、上司の命令であるなら、いわれるままに非倫理的なことでもやってしまう心理傾向を指します。戦争中に目にあまる残虐行為をはたらいたナチスの兵士たちの多くは、ふだんの生活では平凡な市民だったといわれます。個人のもつ倫理観は、上からの命令で簡単に屈し、しかも屈したことを自覚しないのです。大事故は、ボパール化学工場事故のように、上の命令のなすがままの現場によってしばしば起こされます。われわれが安全な社会を実現するために戦うべきは、このミルグラム効果ではないでしょうか。

このように、事件の刑事責任を関係者に割り振る裁判はそもそも難しく、またその慣例も安定したものではありません。事故予防のためには、アメリカのASRSのように、事故通報制度と統合した司法制度に変革していく必要があります。作業員の気を引き締めさせるために罰するのではなく、事故につながる情報を提供させることが重要です。

最後に身につまされる説話を一つ。先に〝逆命利君〟を紹介しましたが、その典拠である劉向の『説苑』には、〝圉人之罪〟という話があります（『説苑』は組織論の教科書としてつくられたものなので、こうした良質の説話が多いのです）。

斉の王様の愛馬を圉人（飼育係）が死なせてしまいました。怒った王様は飼育係に死刑を宣告することにしました。大臣の晏子が「その役目、私にやらせてください」と申し出ました。晏子は飼育係に向かってこういいました。「王様の愛馬を死なせたことは死に値する。王様が死刑を選ばざるをえない状況を招いたことも死に値する。そして、王様がこんなことで家来を死刑にする人物であることが天下に知れわたることを招いた。これも死に値する」。これを聞いた王様は死刑を取り消しました。

◆事故は誰の責任かを問うと、事故予防から遠のく。

第4章　事故が起こる前に……ヒューマンエラー防止法

この章では、ヒューマンエラーを防ぐ方法について、技術的な論考をしたいと思います。

ヒューマンエラーの抑止対策には、次の三つの方針があります。

①作業を行いやすくする。ヒューマンエラーの発生頻度を抑制する。
②人に異常を気づかせる。損害が出る前に事故を回避できるようにする。
③被害を抑える。小さな事故が大きな事故に発展しないようにする。

この三段がまえの対策を組み合わせることで、ヒューマンエラーの脅威を減らしていきます。どれか一つだけに偏（かたよ）った対策を行うことは、安全ではありません。

一　三段がまえのエラー抑止

作業の行いやすさ　評価方法

作業の行いやすさは、人間と作業との適合性から生まれます。作業の道具や環境が人間の体や能力に合っているならば、人間はまちがいをあまり起こさずに作業をこなすことができます。疲れない、遅れない、無駄がない、まちがえないという「四ない」の状態にいたれるのです。

人間工学とは、作業と人間の適合性を追究する学問です。したがって、人間工学に心得がある人に頼めば、職場を改善し、ヒューマンエラーの発生を抑えることができるでしょう。もっとも、専門家に頼まなくても、独学だけでかなりの改善が行えます。人間工学は常識的な知見の集まりです。教科書には作業を行いやすくするための工夫が大量に紹介されていますが、それに難解なものや意外なものはほとんどありません。なるほどなと思える知識ばかりです〔簡潔ながらよくまとまっている入門書として、F・ケラーマン、P・ヴァン・ウェリー、P・ウィレムス編『人間工学の指針——技術者のためのマニュアル』(日本出版サービス）を、詳細まで網羅している良書として、日本建築学会編『建築設計資料集成——人間』（丸善）をお勧めします〕。

では、具体的に作業の行いやすさを評価する項目を見てみましょう。
まず、作業員の五感に関する検討項目をあげます。

●視覚……光の量は適切か。とくに、字を読む作業では充分明るいか。
●聴覚……音を作業の手がかりにする場合、作業員はその音を聞きとれるか。音の発生が頻繁すぎないか。作業員の集中力を邪魔しない程度の静寂さが保たれているか。
●触覚……道具や部品は触るだけで識別できるか。目を向ける動作など、ほかの感覚による確認をとらずにすむか。
●味覚……毒物は苦く味つけしてあるか。
●嗅覚……危険を異臭で知らせられるか。
●温度感覚……気温と湿度は、注意力を妨害せず体力を消耗させないか。作業員が触れたり、近づいたりする物体は安全な温度か。

次に、人間の認識能力についての検討項目をあげます。

●情報の量……作業員に提示する情報の量は適切か。機械があまりに多くの信号を発すると作業員は解釈できず混乱する。かといって、情報量が少なすぎると、作業員は状況を把握できずに困る。

●情報の内容……作業員に与える情報の質は適切か。情報の必要性、詳細度、作業員への指示内容、時宜は適切か。

●情報の表現……情報の目立たせ方と、先入観との適合について、次の二項目を検討する。

●目立たせ方……異常を表す信号は目立ちやすいか。図4－1のように、異常を目立たせる工夫、ポップアウト効果を用いているか。図4－2のように、まちがった目立たせ方になっていないか。

●先入観との適合……情報の表現が人間の先入観に適合するか。たとえば、赤い色は警告という先入観を与える。赤い発光が安全を意味する信号に使われていると誤解のもととなる（先入観をアフォードする（与える）作用をアフォーダンスと心理学ではいう。色以外にも、方向・形状・レイアウト（図4－3）など、さまざまな特徴がアフォーダンス効果をもっている）。

最後に、人間の能力の限界との関係を検討します。

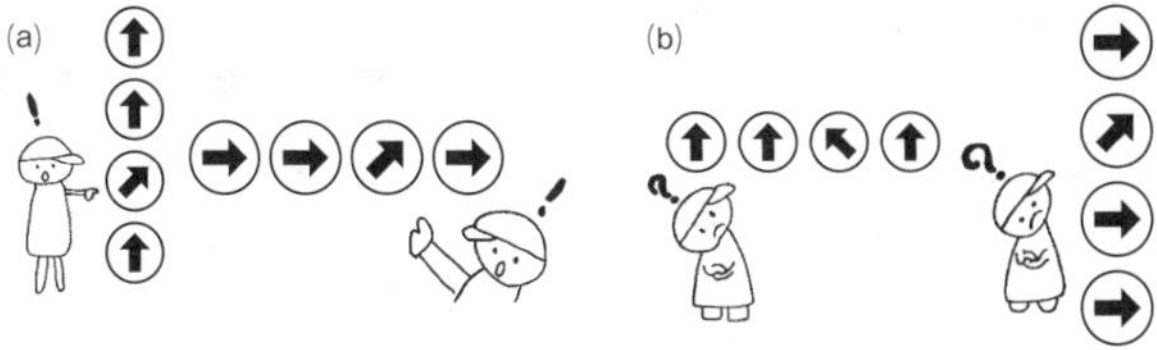

(a)　(b)　(c)

図4-1　ポップアウト効果

(a)目線の移動線からずれているものは目立つ。(b)ポップアウト効果にならない。目線の流れを考えよう。(c)レイアウトでポップアウト効果は変わる。

何でも色を付ければ
目立つわけではない

図4-2　まちがった目立たせ方

目立たせようとして色を塗りたがる人がいますが、色彩だけでなくコントラストも考えよう。

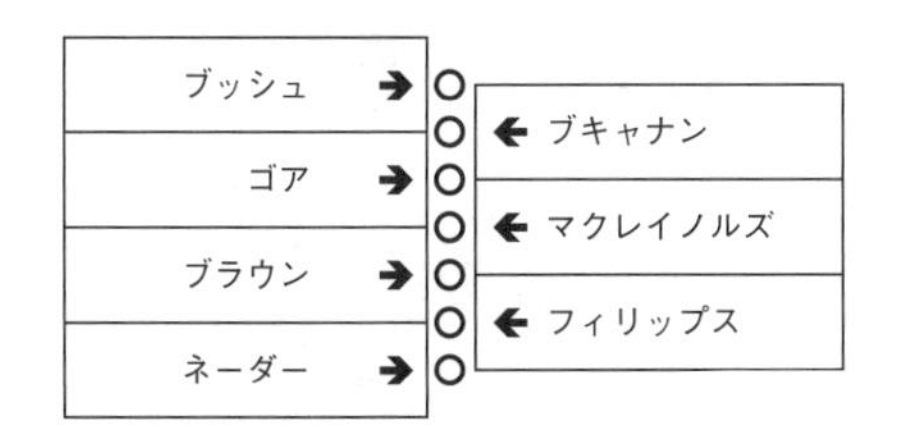

図4-3　世界をゆるがしたヒューマンエラー

2000年度アメリカ合衆国大統領選挙でのフロリダ州パームビーチの穿孔(せんこう)式投票装置の表示板。投票する候補の横の穴に棒を挿して穴を開けるもの。ブッシュ候補の配置は一番上で穴が探しやすい。一方ゴア候補は穴が途中にあってまちがえやすく、不利である。

●エネルギー……大きな力や無駄な動作を求めていないか。
●精度……器用さを過剰に求めていないか。治具(じぐ)や補助器具を使えば簡単にならないか。
●使用身体部位……作業に不適切な筋肉や関節を使っていないか。特定の部位だけを酷使していないか。
●段取り……作業者が臨機応変な段取りの変更ができるか。作業に時間の余裕があるか(〝作業分析〟と称して、作業の所要時間をストップウォッチで測り、無駄を見つけて是正するという触れこみの活動がしばしばなされている。一秒でも手空きの時間があると、大きな無駄であると怒られる。とくに分析者の地位が作業員より上だと、こうした指摘は厳しくなる。しかし、ヒューマンエラーを防ぐためには、作業員各自が作業のペース配分を調節できないといけない。剣道も茶道も、間をもたせることで精神集中している。単なる停滞の一秒と、精神の制御のための一秒とでは価値が違う)。

本当に安全ですか?

ヒューマンエラーを減らすために、仕事の一つひとつで、ここにあげた項目のすべてを検討してみてください。実際に検討を行ってみればわかりますが、すべての検討項目を満足させることはしばしば難しいものです。

たとえば、自動車のアクセルとブレーキを踏みまちがえるというヒューマンエラーは、昔から頻発しています。作用が正反対であるペダルを隣接させ、しかもそれを足で操作させることは、検討項目に照らせば明らかに違反です。足で触れただけではペダルの区別がつきません。ペダルの踏む方向も両者同じであり、ここでも区別がつきません。また、ペダルを前に踏むことが、時には自動車を前進させ、時にはブレーキをかけます。これでは、操作方向と作用方向に対応関係がとれていません。さらに、足はそんなに器用ではありませんし、頻繁に動かすと疲労を招きます。このように、自動車のペダルはヒューマンエラーを誘うデザインであることはハッキリしています。身体障害のあるドライバー向けには、手でアクセルやブレーキを操作できるように、車を改造します。このように、やろうと思えば新しいデザインに切り換えられるのでしょう。しかし、ペダルのデザインはもはや強固な慣例になってしまっていて、よりよいデザインに変更しようとしても今さら社会が受けつけません。

このように改善が難しい項目は妥協せざるをえないこともあります。しかし、ほかに多くの改善ポイントがあります。妥協をカバーできるように、ほかの検討項目で作業の行いやすさを保証する設計を考えましょう。

こうした安全のための設計は、事業計画者が事業を立ち上げる準備段階で行っておくべきことです。しかし、彼らが深く考えなかったために、作業のしにくい環境に甘んじている職場が非常に多いことは遺憾です。そのような過酷な労働環境で、作業員がヒューマンエラーを犯すと、作業員だけが注意されます。注意したところで、仕事のやりにくさは改善されませんから、次から次へとヒューマンエラーが発生します。その段階になってようやく、作業員個人の能力の問題ではなく、作業がやりにくいことが原因だと気づくわけです。

◆人間と作業が合っていなければ、ヒューマンエラーは多発する。

異常に気づかせる

ヒューマンエラーを防ぐための対策の第二段階は、異常を人間に知らせる工夫を施すことです。

どんなに注意深い人間でも、またどんなにやりやすい作業でも、ヒューマンエラーを起こしてしまうものです。しかし、そのようなエラーが結果としてなんらの不都合を招かないのは、人間がエラーに気づき、即座に修正しているからです。裏返していうと、どんなに小さなエラーであっても、それが引き起こす異常に人間が気づかなければ、大きな事故になるまで放置されてしまいます。

エラーの脅威は、エラー自体の大小ではなく、エラーの検知のしやすさによって測られるべきです。そこでエラーによる異常を作業員に気づかせるために、機械や道具が警告を発することになります。警告は次の特徴を備えていなければなりません。

①即物性……警告は異常を確実かつ直感的にわかりやすく表現しなければならない。異常な現象そのものを警告として使えれば最善である。たとえば、一九三〇年建造の客船氷川丸では、図４‐４のように火災の煙そのものを見る方式の火災報知器を備えていた。煙という警告の形態は火災だと直感的に解釈できる。停電による警告の不作動が起こりえない。単純なメカニズムであるから故障の余地も少ない。

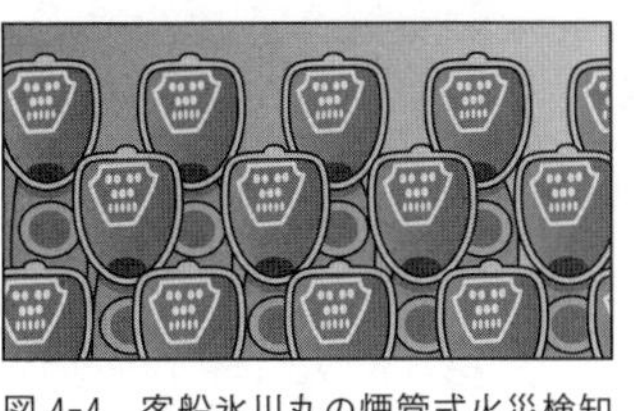

図 4-4　客船氷川丸の煙管式火災検知装置

各船室の天井から管を延々と伸ばして、操舵室に集めてある。火災が起これば、煙を直接見て取れるしくみ。

②時宜性……警告のタイミングは手遅れではいけない。また早すぎも、作業員が警告を忘れることがあるのでよくない。

③表現形態……警報は、その意味が誰にでもわかり、誤解の余地がなく、見すごされないように目立つものでなければならない。作業環境の雑音で妨害されてはいけない。人間が識別を得意とする表現

形態であるとよい。たとえば、紙幣に人の肖像が印刷されているのは、人間は顔の微妙な違いを識別できるため、肖像画のわずかな違いから本物とニセ札とを見分けやすいからである。

④情報の詳細度と量……警報は、人間に適切な対処行動を促せる程度に詳細な情報でなければならない。詳細すぎてもだめで、一度に人間が取り扱える量でなければならない。

⑤誘導性……警報は、人間に対処のための行動を指示するものでなければならない。単に「問題が発生しました」というメッセージだけでは不適切である。

◆ただ警告を出せばよいというものではない。

ヒューマンエラーに気づかせる15の方法

ヒューマンエラーは、ほかの異常と異なり、作業を行っている本人が犯しているエラーです。このため、本人が自覚しにくいという難しさがあります。本人が何も異常がないと思いこんでいる場合は、いくら警報を出してもとりあってくれません。したがって、ヒューマンエラーを知らせる警報には、人間の自覚を促すための特別な工夫が必要です。それは作業員を目覚めさせ、自分自身を客観視させる工夫です。

人間の覚醒レベルには三段階があります。

①漫然状態……単調なくり返し作業は行えるが、状況変化は見落とす。
②適度注意状態……周囲の状況にまんべんなく注意を払って、自分の行動を調整できる。
③過剰緊張状態……注意の範囲が極端に狭くなり、異常の兆候を見落とす。

ヒューマンエラーは、漫然状態と過剰緊張状態の際に多発します。これらの状態では、作業員は自分を客観視できなくなるのです。自分が今どのような状態にあるか、何の目的で、何をしているのかが自覚できません。

たとえば自動車の運転でいえば、居眠り運転は漫然状態であり、レーサー気どりで興奮したドライバーによる暴走運転は過剰緊張状態です。どちらの状態にせよ、自分はスピードを出しすぎではないかとか、運転を中止したほうがよいのではないかという考えは湧いてきません。自分の傍らから自分を客観視する〝離見の見(りけんのけん)〟がないのです。

自己客観視を促す方法にはどのようなものがあるかを考えてみましょう。

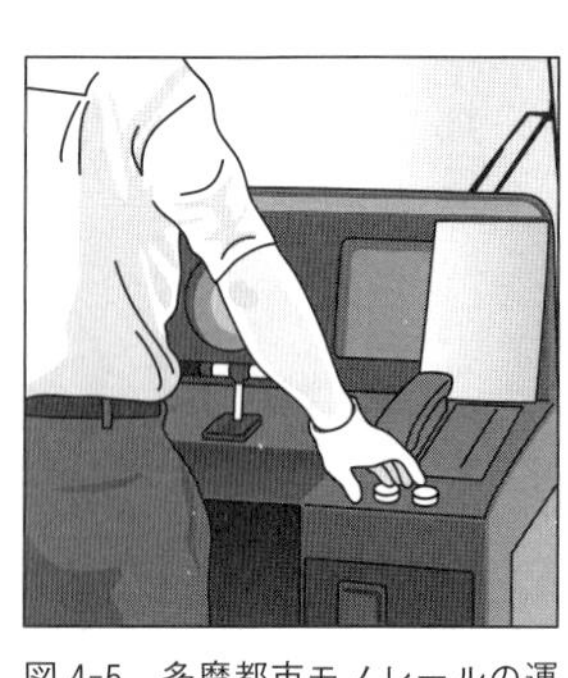

図 4-5　多摩都市モノレールの運転台
発車ボタンを押しているところ。

①あえて手間を与える（強制覚醒策）

漫然状態の人間が作業に取りかからないように、目を覚まさせる手間をあえて課すという方法です。本作業とは別に少し知恵を使う仕事を行わせ、それに成功しなければ本作業が発動しないというものです。

たとえば、大陸横断鉄道の運転では、風景の変化が乏しいため運転士は眠くなります。眠気を防ぐために、一五秒ごとにボタンを押さないと列車が自動的に減速する装置が備えられています。

多摩都市モノレールでは、列車を発進させるには、図4－5のように、二つのボタンを同時に押さねばなりません。ちょっと知恵を使う作業をつけ足しておくことで、不用意な作業実行を防いでいます。

巧妙な強制覚醒策になると、作業者が「私は覚醒させられた」と気づかれないようにできます。たとえば、ギロチン式の大型紙裁断機では、それぞれ離れた位置にある二つのボタンを同時に押さなければ、ギロチン刃は作動しません。両手が刃の近くにいない状態でしか刃が動かないので、手の切断事故が成立しなくなるのです。

◆寝ぼけている人間には作業させない工夫を。

②小さな事故を起こす（小事故誘導策）

これは、強制覚醒策よりもさらに強引な目覚ましです。寝ぼけていたり規則違反をしている人が、ただちに小さな事故を起こすようにしむけ、大きな事故にいたるのを防ぎます。

たとえば、自動車運転者に徐行を守らせるための盛りあがり（スピードバンプ、コブのようなもの）という仕掛けがあります。自動車の徐行区間の入り口に、図4-6のような盛りあがりを設置します。この盛りあがりを速い速度で通過すると、自動車は大きく跳ねあがります。車内の運転者も跳ねあげられ、ヒヤッとするでしょう。悪くすると、自動車が地面とこすれ壊れたりします。このような小事故を誘導することで、速度違反の自動車の進入を防ぐのです。

図4-6　住宅街の入り口の路上に設置されたスピードバンプ

小事故誘導策は、小事故が起きてしまうことが難点です。小事故に懲罰としての意味あいを感じる人もいるでしょう。しかし、規則違反者をふるい落とすことが小事故の目的ですから、多少の被害がなければ拘束

図4－7　姫路城天守閣の上り階段
頭を梁にぶつけないように、紐を垂らして気づかせる。

力は出ません。

◇寝ぼけている人間を叩き起こす工夫を。

③わざと異常を起こす（小異常発生策）

小さな、しかし人間を目覚めさせる異常をわざと発生させ、人間を覚醒させる方策です。害のある小事故の代わりに、害のない異常を発生させるのです。

図4－7は、姫路城天守閣の階段のイラストです。階段を上る人が頭をぶつけそうな位置に梁（はり）があります。頭と梁との衝突を避けるために、紐を垂らしています。梁の存在に気づいていない人は、紐との衝突という小さな異常に遭遇し、自分の状況に気づくのです。

◇ちょっとした違和感で危険を知らせる。

④刺激を与える（興味覚醒策）

作業の本体とは別に、楽しいことやハラハラすることを作業者に提示する方策です。

眠気のある作業者は目覚めさせ、過剰に緊張している作業者をなだめる効果があります。

たとえば、高速道路で長旅をするときには、楽しいラジオ番組を聴いたほうがよいでしょう。番組を楽しんでいるかぎり居眠りは起こりません。また、速度を上げることに熱中し、抜きつ抜かれつのカーチェイスをくり広げることも、番組を楽しんでいるときの穏やかな心理状態ではできないものです。ちょっと変わった興味覚醒策として、意外な刺激を作業者に与えるという手があります。たとえば「スピード違反　一〇、〇〇〇円　佐渡わかめ　八〇〇円」という看板が、道端に立ててあると、思わずドライバーは「おやっ？」と思い、速度を緩めるのだそうです。

自動車の運転は、場所を移動していくので環境の変化があるのですが、工場の中での作業ではこうした変化がありません。とくに流れ作業では、環境はまったく変化せず、単純作業が延々と反復されます。これでは眠くなり、注意力が衰えることは明らかです。それは時として、かなりの苦痛になります。実際、昔は単純作業を延々とさせる刑罰、〝空刑〟というものがありました。

単純作業には、ファンタジーでがんばるという方法があります。エンヤコラと労働歌を唄い、作業自体を楽しいお祭りにしてしまうのです。歌以外にも、作業にゲーム性を付加するなど、作業を楽しむ工夫があります。

◇楽しければ眠らない。

⑤ストレスを排除する（興味減退要因排除策）

イライラさせたり、退屈を感じさせる要因を排除するという方策です。作業の無意味さや機械の不親切さから、作業者は心理的ストレスを感じます。たとえば、コンピュータのソフトウエアが人間をイライラさせる原因には、次のようなものがあります。

●一つしか選択肢がないのに、選択作業をさせること。
●本質的に意味のない選択や区別をさせること。たとえば、インターネットで住所を記入するとき、「郵便番号は半角文字で入力してください。住所は全角文字で入力してください」という指示をされることが多い。機械が手を抜いて、人間様に手間をとらせている。
●二度手間。一回入力した内容をもう一度入力させること。
●終了見込みの予告もないまま、人間を待たせること。
●特殊な用語を使い、意味のわかりにくい説明を人間に示すこと。

このような機械設計のズサンさを直していくことで、作業員の心理状態を適度注意状態にします。

◆つまらなければ眠くなる。

⑥大事なものは最後（達成感保留策）

この方策は、作業の終了間際で人間が気を抜かないようにするためのものです。人間は仕事を成し遂げたと思うと、緊張を緩めてしまいます。このため、作業の終了間際に注意力不足となり、エラーを起こしやすくなります。

達成感保留策では、達成感を最後の最後まで与えないようにします。

その典型例が、現金自動預け払い機（ＡＴＭ）です。ＡＴＭから現金を引きだす場合、カードが返却され、通帳や伝票が出て、最後の手順で現金が出てきます。ＡＴＭの機種によっては別の手順もありますが、現金が最後に出ることは共通しています。現金が先に出てしまうと、その時点で客が帰ってしまい、カードや通帳を取り忘れてしまうのです。

◆勝って兜の緒をほどかせない。

⑦裁量に任せる（作業員主宰化策）

作業のペースを作業員の裁量に任せるという方策です。

作業員が自分で仕事をもってくるようにします。作業を押しつけるのではなく、作業員に引っ張らせるのです。単調な作業を作業員に与えてノルマをこなさせる方式では、居眠りしそうな作業員は漫然としたまま作業にとりかかってしまいます。これを防ぐのです。

このように、作業員が自分の作業を主宰すると、仕事のペースは作業員の裁量次第となります。難しい仕事は慎重になり、調子の悪いときはペースを落とすので、ヒューマンエラーは減るでしょう。

結局、作業ペースの問題は、最適な作業ペースを誰が調節するかということに行き当たります。ヒューマンエラーによる損失と、ペース低下による生産量の低下とを天秤にかけて考えるわけですが、それを現場作業員の各々が調節する方式と、経営サイドが設定する方式とでは、どちらがよいのかという問いです。作業員の裁量では怠けるんじゃないかと不安に思うなら、給与を出来高払い式にするという方策があります。生産量ノルマをどうしても達成させたいなら、出来高払いの賃金を引きあげればよいわけです。

しかし、作業ペースとノルマの調整に賃金政策による解決が使えるのは、労働市場が成立した業種だけという問題があります。公務員の仕事や、民間企業でも純事務的な仕事では、仕事の生産量が直接には利益に結びつきません。このため賃金を引きあげようにも原資がありません。かといって従業員の増員や削減も自由にはできません。すると、人があまっているときには、〝お役所仕事〟といわれるように極端に仕事のペースが遅くなったりします。逆に、人が足りなくなると、能力をはるかに上回るノルマを割り当てられた職員がしゃかりきにならざるをえません。こうした忙しすぎる役所や病院をよく見かけます。多忙すぎて過酷な労働環境では、ヒューマンエラーが多発します。しかし、これはヒューマンエラーの問題と考えるより、人員不足の問題と考えるべきでしょう。

◇仕事は押しつけられると雑になる。

⑧脳を刺激する（知覚チャンネル変更策）

作業の際に、知覚チャンネル、すなわち五感の種類を変えて脳を刺激する方法です。列車の運転手がよく行う、指差し喚呼（かんこ）という確認方法が代表例です。目で見て確かめる視認作業は、対象物にちらっと目を向ければそれですみます。そこをあえて、手を動かし声に出していうことで、脳全体を使い覚醒させ注意のレベルを上げるのです。

機械が発する信号・警報を確実に人間に伝えたいならば、なるべく多くの知覚チャンネルを使うとよいでしょう。たとえば、飛行機は高度が危険なほど低くなると警報を発します。その警報には単なる光や音だけではなく、「プルアップ！（機首を上げろ！）」と言葉による警告も加わります。ここまですれば、パイロットが居眠りしていようとも気づかせられるわけです。

◆音だけ、光だけでは脳は寝る。

⑨作業状況をわかりやすくする（作業状況物体化策）

作業状況をわかりやすく表現するものを用意して、作業状況を把握しやすくする策です。

作業員が作業の状況を誤認すると事故になります。作業状況の把握は重要ですが、これを作業員の記憶力だけに頼って行うことは、不確かであり危険です。そこで、記憶を物体に置き換えようというわけです。

鉄道のタブレットが代表例です（図４－８）。単線区間では、一つの区間に一つの列車しか走らせてはいけません。上下線二本の列車を同時に走らせると、正面衝突してしまいます。しかし、運行管理者がうかうかしていると、列車の位置をまちがえてしまいます。うかうかしなければ大丈夫ですが、永久にノーミスということはありえません。

そこでタブレットと呼ばれる通行票が用いられます。ある単線区間に進入できるのは、タブレットをもった列車だけという規則をつくります。タブレットは一つしか存在しないので、二つの列車が同時に同じ区間を走るという危険な状態を避けられるのです（実際のタブレットの運用方式には、もっといろいろな種類があり、より複雑な運行も可能になっています）。

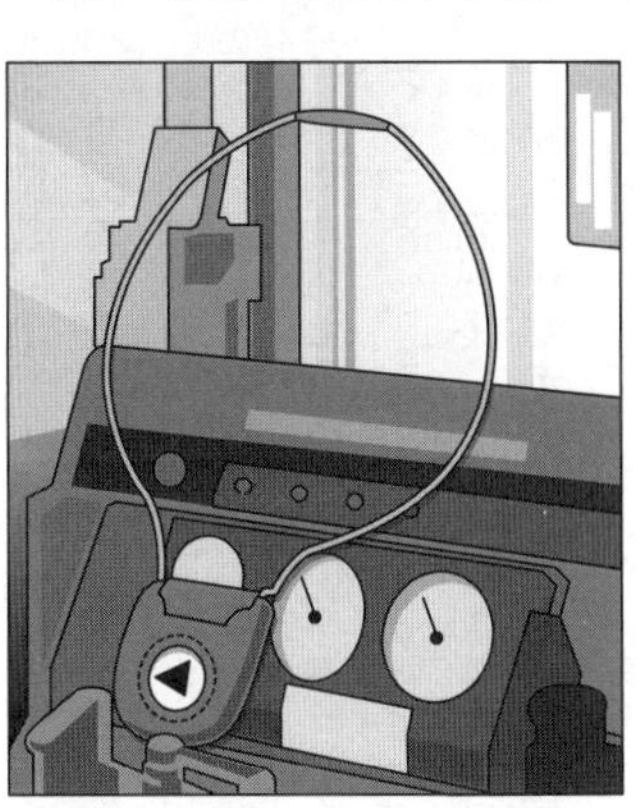

図4-8　運転台に置かれた鉄道のタブレット

タブレットをもっていないと、その区間は運転できない。

状況を物体化する方法は、何もタブレットなどの表現専用の道具を使うだけとは限りません。人間の存在自体が状況を表現する役になっている事例もあります。たとえば、列をつくって並ぶ場合、人の立ち位置が、その人の順番待ちの順位作業を表しています。このように、うまく人間の立ち位置を工夫することで、道具を省略することもできます。

◆暗記は無理。道具で表そう。

⑩作業員同士でチェックする（二人作業班策）

複数の人数からなる班を組み、作業に当たらせる方策です。作業員が互いの行動を客観的に見ることで、まちがいを指摘しあうことが狙いです。自分自身を客観視することは難しいですが、他人の行動を客観的に見ることなら容易です。

作業員同士の行動の相互チェックをより強調するために、航空業界ではＣＲＭ（Crew Resource Management）と呼ばれる制度を採用しています。大型飛行機の操縦には、機長と副機長の二人があたります。かつては、作業分担するために二人が必要であると考えられてきました。主導権を握る機長と、その指示に従う副機長という権威の序列を前提としていました。

しかし、テネリフェ空港事故に見るように、機長に権威がありすぎると、機長の判断がまちがっている場合に、副操縦士がそれに意見し修正することが難しくなります。もちろん、主導権や権威ははっきりさせなければ、「船頭多くして船山に上る」ことになってしまい危険です。

そこで、ＣＲＭでは相互チェックを奨励します。操縦している人を操縦していない人が観察し、「その行動は何のため？　それでいいのか？」と問いただします。このようにして、操縦にまちがいがないか確認をとります。

このように相棒に自分の行動を説明させることが要点です。事故につながる行動は、

「深く考えずに、なんとなく行っていた」ということが多いのです。きちんと説明できる行動なら事故にはなりません。

ソフトウエアの製作では、二人組でプログラムをつくる〝ペア・プログラミング〟という手法が使われます。ここでもCRMと同様に、一人は作業役、もう一人は質問役です。質問役は「これはどういうプログラムにするつもり？」「そう書いたのは何のため？」と聞きます。作業役は、頭の中で漠然と考えている事柄を声に出して説明します。これは質問役を説得するためではなく、作業役が自分自身を客観視するために行うものです。

また、組織と組織の二人作業班という形態もあります。その代表例は医薬分業です。医師が行った処方にまちがいがないか、薬剤師があらためて確認できます。大規模病院になると、二重どころではなく、医師・看護師・薬局・病棟などで、何重にもチェックします。

◆ツッコミがしっかりしていると、ボケは事故を起こさない。

⑪監視して緊張感を与える（監視策）

作業の状態を誰かが監視することで、作業者を適度に緊張させて、ヒューマンエラーを防ぐ方策です。

飛行機にはフライトレコーダーなどの記録器が装備されています。自動車の運転では、速度違反検知器、いわゆる〝ネズミ捕り〟などの違反検知手段があります。こうすることで、作業者に無謀で無配慮な操作は記録され責任をとらされるという心理的緊張をかけ、行動を慎重にさせる方法です。

この方策の欠点は、作業記録装置の存在を忘れてしまいがちになることです。また、装置を〝密告者〟のように見なし、憎悪する人もいます。安全な作業をしようと考えず、装置をなんとかごまかせないかと思ってしまうのです。そこでネズミ捕り検知装置をわざわざ買う不心得なドライバーが出てくるわけです。

このように監視策は、一般的にいって、作業者にとっては気持ちのよいものではありません。作業記録装置は、こそこそ隠れた密告者ではなく、作業者を助ける存在になるべきもののはずです。違反が起きる前に作業者に助言や警告を与え、事故を回避すればよいのです。何も罰金を集めることが目的ではありません。ネズミ捕りを隠して設置したところで、速度違反常習者はとうにその位置を知っています。

◆監視は強力だが、嫌われ、裏をかかれる。

⑫道義心に訴える（社会化策）

作業者に、自分が人びとの中で行動していることを気づかせることで、安全かつ寛容な操作を促す方法です。二人作業班策や監視策とは異なり、不特定多数の人からの視線によって、気持ちを引き締めさせるものです。

社会化策の実現のためには、各作業者を没個性的な状態に置いてはいけません。作業を誰が行ったのかわからない状態では、自分の行動に責任をもたなくてもよいと甘えてしまう危険があります。したがって、作業員に個性をもたせ、誰が何の行動をしているのか識別しやすくし、行為の結果から行為者を逆探知できるようなしくみ（トレーサビリティ）を設けます。

たとえば、自動車のうしろに、「赤ちゃんが乗っています」と書かれたシールを貼る人がいます。シールがなければ、その車は平凡な車の一つにしか思えません。しかし、シールによって、具体的な生活背景のある人間が乗っている車であることに気づきます。道路は車だけの世界に見えて、実は人間同士の社会でもあるのです。人間の社会にふさわしいように礼儀正しく振る舞おうとすると、自然と安全な運転になります。

自動車のオーナーによる個性化の事例は、〝デコトラ〟のように派手なトラックなど、ほかにもいろいろあります。つまり、社会化は人間の基本的な欲望でもあるといえそ

図４－９　列車への飛び込み防止用の鏡

うです。個性化していない無味乾燥な自動車は、オーナーはそれを望まず、ほかの運転者からはていねいな振る舞いをしてもらえないという二重の欠点を抱えます。

また、自分自身を見ることで、道義的な振る舞いを促すということもあります。たとえば、列車への飛び込み自殺を防ぐために、図４－９のように鏡を設置している駅があります。この鏡は、自殺者がよく飛び込む位置に置かれました。自殺志願者は、自分の姿を思いがけず鏡で見ることになります。鏡の中の自分を社会の中の一人間として客観視させ、冷静で穏健な判断を促すのです。

古くから、職人は自分のつくった製品に銘を入れてきました。これも、作業者を識別させるものですから、社会化策の一端です。自分の製品の性能と安全に責任をもつ決意の表れです。銘を入れる習慣は、大量生産時代になりいったん衰えました。しかし、最近は安全への決意表明として、作業者の名前を見せることが再興しています。スーパーマーケットの野菜売り場を見てみると、野菜生産者の名前・顔写真・ウェブページまで紹介されています。

◇自分の名前が入る仕事はていねいになる。

⑬やらない（課業免除策）

事故になりえる作業は、いっそやらないことにしようという方策です（〃課業〃とはやらなければいけない作業を指す用語です）。

発想の虚をつくような作戦ですが、事例は意外と多くあります。

スカンジナビアの国々では、自動車のヘッドライトを始終つけっぱなしにすることが、法律で定められています。このため、ヘッドライトを点灯・消灯するためのスイッチ自体が自動車にありません。したがって、ライトのつけ忘れというヒューマンエラーが起こりえないのです。

ヘッドライトは常時点灯しておいたほうが、自動車の存在がわかりやすく、交通事故を防ぐことができます。そのため、日本でも常時点灯を行う運転者が増えてきました。昔の自動車で常時点灯を行うことには難点がありました。まず、バッテリーに負担がかかります。また、エンジンの押しがけを行うときには、ライトを消したほうがよいのです。こうした問題点は、自動車の性能向上によって、過去のものになりました。

郵便制度にも例が見られます。郵便料金は配達の距離によらず均一です。こうすることで、料金計算の手間が省けます。昔の飛脚の時代では距離に従った料金課金を行っていました。こうした料金決済にからむ手間のコストが非常に高いことを喝破し、これを免除することで全体の効率を上げることに成功し、近代的な郵便制度が成立しました。

数値計算の手間省きは、課業免除策がよく使われる題材です。人間の計算能力とは非力なもので、ちょっとした暗算を行わせようものなら、簡単に計算まちがいを起こします。いかに人間に計算させないようにするかが、ヒューマンエラーを防ぐための定石になっています。

図４－10　半端な金額の紙幣

左から、クック諸島３ドル札、キプロス250ミル札、ソ連３ルーブル札。

帝政ロシアとソ連では三ルーブル紙幣を発行していました（図４－10）。三ルーブルとは半端ですが、これにはわけがあります。ロシア帝国の一時期、ルーブルと外貨との固定為替レートに三の倍数があり、外貨交換の暗算をやりやすくなるように、三の貨幣をつくったそうです（ほかにも諸説あり）。その後その為替レートが変更されても、一度三ルーブルになじんでしまうとそれはそれで使いやすい。ソ連が崩壊するまで延々と使いつづけられました。

「三では使いにくい」と思われるかもしれませんが、貨幣の歴史を調べてみると、

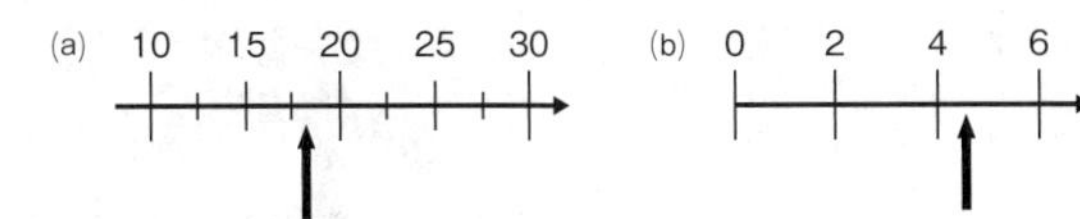

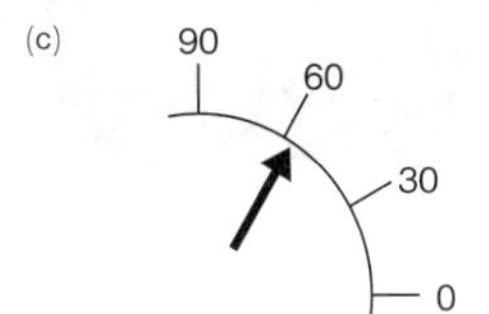

図4-11　いろいろな目盛り
暗算を要する目盛り(a)や十進法の目盛りでない場合(b)は読みまちがいを起こしやすい。ただし、角度のメーターは例外(c)。

三の紙幣はちらほら登場しています。
とはいえ、図4-10に示したクック諸島三ドル札、キプロス二五〇ミル札、ソ連三ルーブル札の、半端な金額の紙幣はいずれも、現在は主流紙幣としては流通していません。やはり、十進法から外れた紙幣は、使いにくかったようです。

暗算を要する作業に、メーターの目盛りの読みとり作業があります。たとえば、図4-11(a)や(b)のように、十進法ではない目盛りは読みとりまちがいを引き起こしがちです。

角度の目盛りだけは例外で、十進法ではない目盛りが許されています（図4-11(c)）。実は、フランス革命当時、社会の旧弊のすべてを絶つとして、徹底的な十進法の強制が行われました。角度では直角を一〇〇度とするグラード方式、時間では一日を十等分・百等分・千等分する単位が採用されました。しかし廃れてしまいました。十は約数が少ないので、割り算に不向きです。角度や時間のようにしばしば分割を行うものに十進法を使うと、それこそ暗算を要し、使いにくいのかもしれません。

課業免除策の実施には、道具の改良が必要になります。たとえば、図4-12のように旧式のジュース缶は、切り離されたプルタブをきちんとゴミ箱に捨てるという課業が発生してしまいます。現在の日本のジュース缶では、その構造上プルタブが切り離せないので、こうした課業は免除されます。

図4-12　旧式のジュース缶
プルタブが切り離されるので、逸失しない努力を求められた。

道具を徹底的に改良すると、大胆な課業免除が可能になります。たとえば、無人で電車を運転することも現実にできます。列車をコンピュータで制御し、線路に人や自動車が入らないようにすれば、運転作業は不要になるのです。

課業免除策の導入でエラーがなくなれば、多少の不便さや不正確さの増加はいとわないと割りきる場合があります。免除される課業にも、もともとはそれなりの意味があったはずであり、それをなくすことで、何か小さな問題が生じることもあります。それでも全体としてヒューマンエラーが減るのであればよいとするのです。

たとえば、建設中で部分的に先行開業している新幹線と在来線の接続の指示は、課業免除のために少し不正確になっています。図4－13は、鹿児島中央～新八代間が先行開業していたころの、鹿児島中央駅の案内表示ですが、あたかも博多行きの新幹線が存在するかのように表示されていました。九州新幹線はまだ博多まで延伸しておらず、途中駅で在来線に乗り換えることになっていました。ただ、その乗り換えはスムーズに行われるため、乗り換えなしと見なしてもかまいません。したがって、乗客に乗り換えの事情を理解させるという課業を強いるよりも、この案内表示のように博多行きの列車があるかのように知らせたほうが乗客は誤解しないのです。

図4－13　JR鹿児島中央駅の九州新幹線の案内表示
「とにかく、博多に行くならこれに乗りましょう」と簡略に案内している。

◇まちがえやすい作業はしない。

⑭させない（行為禁止策）

事故の危険がきわめて高い行為を禁止するという方策です。事故が起こって当たり前の危険な行為は完全に禁止する必要があります。「しなくてもよい」という〝免除〟では生ぬるいのです。

たとえば、隅田川花火大会のときは、会場の脇を通る首都高速道路向島（むこうじま）線は通行禁止になります。花火に見とれて運転がおろそかになったり、車を路肩に停めて見物する運転者が出現するのは明らか。そこで、東京の大動脈の一つである首都高向島線を使わせないようにしてしまうのです。通行止めによって生じる不都合より、花火大会を行わないことの損失と交通事故の損害のほうが重いと判断したのでしょう。

このように行為禁止策は、時には思いきった政治的判断が必要になります。

◆事故の元凶を完全に放棄する決断も必要。

⑮見返りを支払う（高給懐柔策）

これは、高い給与と引き換えに、困難な作業をがんばってもらう方策です。事故を起こさずに仕事をこなすために、たいへんな体力と精神力が必要な仕事では給与を上げないと作業員が集まりません。

産業の歴史を見るに、高給懐柔策は決して珍しいものではありませんが、まちがった発想といわざるをえません。この方策は効果が薄いのです。給料が高いからといって、人間の注意力や判断能力が向上し、まちがいが減るというものではありません。結局、事故が頻発するので経済的にも引き合いません。

ヒューマンエラーを防ぐ方策は、これまで見てきただけでも一四もあるのですから、あえてお金で解決する必要はないでしょう。

◇お金でヒューマンエラーは防げない。

二　大事故に発展させない方法

備えあれば憂いなし

大事故を食い止める最後の守りとして、被害を最小限に抑える工夫を施します。大事故の予防を実現するうえで、この被害抑制の段階が一番重要です。先述した事故予防策が完璧に思えても、「よし、これなら事故は絶対に起こらない」と安心するわけにはいきません。客船タイタニック号は「絶対に沈まないから救命ボートは足りなくてもよい」という発想に立ったため、大惨事を呼び起こしました。むしろ、「この船は老朽化しているから沈むかもしれない。非常用装備を備えよう」と考えているほうが安全です。

しかしながら、機械の設計者や所有者は、「この機械は絶対安全です」という保証をさせられることがしばしばあります。「事故が起こるかもしれません」では、お客さんが不安になり仕事になりません。こうして、絶対安全という神話が生まれ、それがタイタニック号の例のように一人歩きし、「非常用装備はなくてもよい」→「ないほうがコスト節減になる」→「なくすべきだ」と進んでいきます。

　このパターンは、何も金儲け第一主義の企業だけに起こるとは限りません。スペースシャトル・チャレンジャー号の爆発事故を調査したファインマン博士によれば、NASAの上層部はスペースシャトルはほとんど事故の危険性がないという幻想を抱いていました（R・P・ファインマン著『困ります、ファインマンさん』岩波書店）。

「エンジンの故障でロケット打ち上げが失敗する確率はどのくらいだと、あなたはお考えですか？」

「その確率はゼロにならざるを得ない」

「〝ならざるを得ない〟とは必然の意味ですか？　命令ですか？　確率はゼロということですか？」

「しいて言えば十万分の一だ」

「その確率なら、毎日ロケットを打ち上げても、三〇〇年に一回しか事故は起きないことになりますね……」

　こうした幻想の結果、スペースシャトルの設計や運営の中から安全のための余裕が削られ、大事故にいたりました。上層部の過剰な自信と官僚主義が破滅を招いたわけです。

絶対安全の保証はそもそも不可能です。思わぬ原因による事故の可能性は、どれだけ工学が努力したところで、捨てきれません。

したがって、工学として最も妥当な態度は、「この機械のどこが故障すると、どのような事故になりうる。その備えはこうする」というものです。万が一の故障が起こったとしても、〝被害〟の発生確率を抑える発想が大事なのです。決して〝故障〟の発生確率を問うものではありません。故障発生確率を考えだすと、「そんな故障はありえない。だから対策もしない」という結論に行きついてしまいます。

大事故を想定する

万が一に備える方法には、きっかけ演繹法（ＥＴＡ）と事故原因帰納法（ＦＴＡ）があります。

きっかけ演繹法とは、一つの小さなミスがどこまでの大事故に発展しうるか想像をめぐらせるものです。大事故への道筋がどのように存在しているかを認識し、手立てを講じるのです。

たとえば、マウスを使ったパソコン作業では、どのような大事故が起こりうるでしょうか。マウスの不正確な操作を事故のきっかけとして取りあげます。そのきっかけが何を起こしうるかを図４‐14のように描いていきます。たとえば、電子メールアド

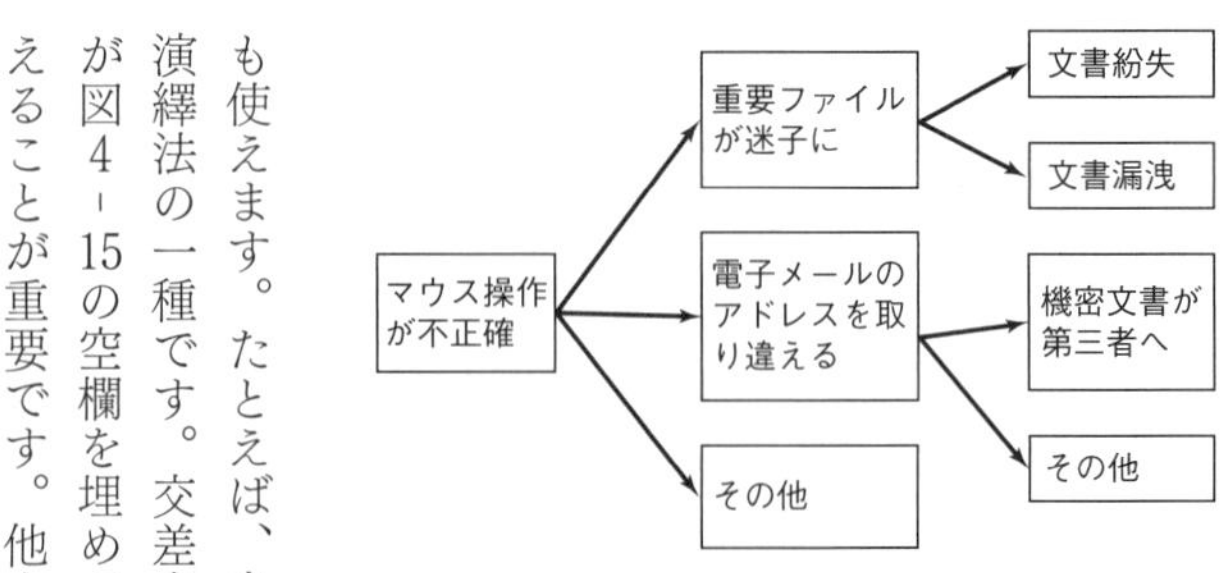

図4-14　きっかけ演繹法（Event Tree Analysis, ETA）

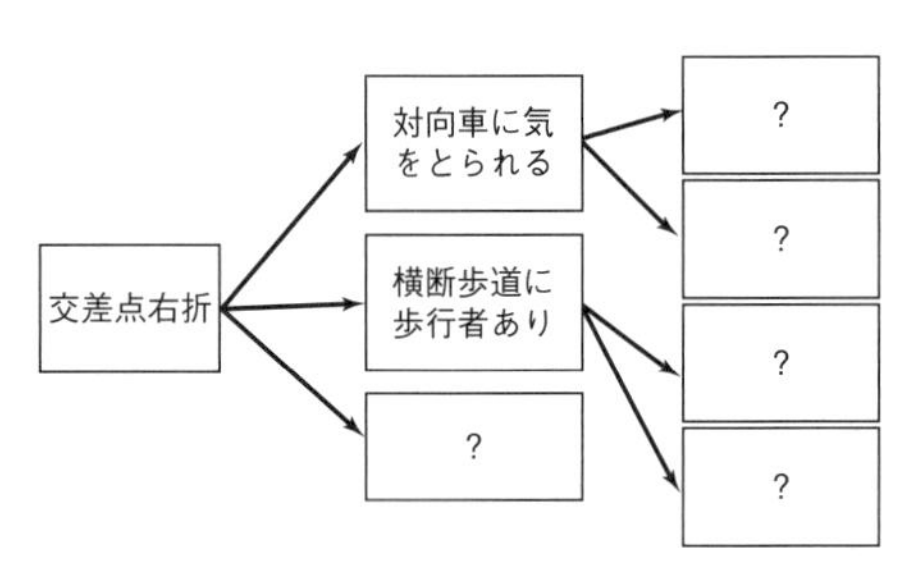

図4-15　危険予測訓練
空欄を埋めましょう。

レスをマウスでクリックして選択するときに、クリックの位置をまちがえるというミスが起こります。そのミスは、不適切な宛先に機密のメールをまちがえて送ってしまうという大事故を起こしかねません。こういう最悪の事態を考えます。

きっかけ演繹法は危険予防のための教育にも使えます。たとえば、自動車教習所でしばしば行われる危険予測訓練は、きっかけ演繹法の一種です。交差点で右折する場面にはどのような危険があるか、運転者自身が図4-15の空欄を埋めて考えます。自動車の運転では何に注意すべきかを自分で考えることが重要です。他人から大事故への道筋を教えられても、覚えきれるものでは

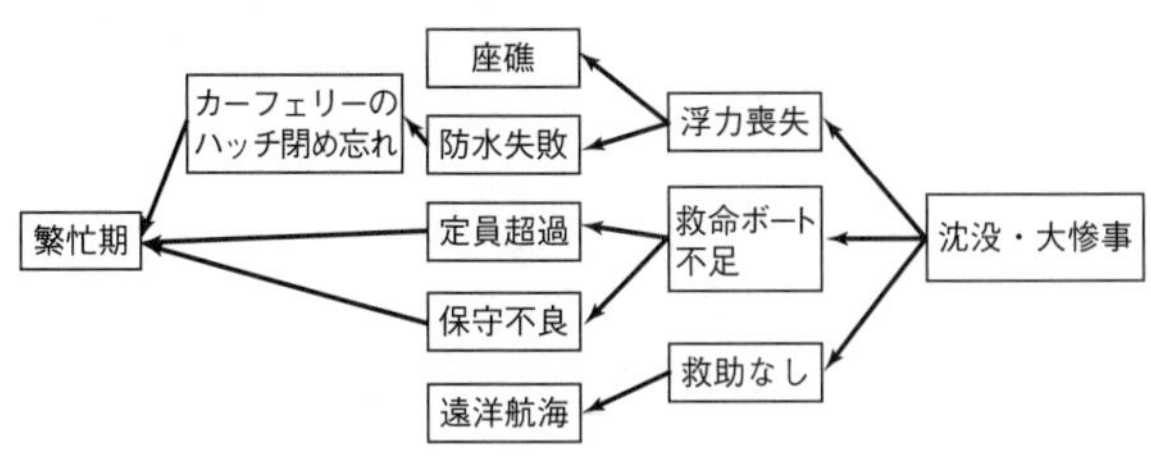

図4-16　事故原因帰納法（Fault Tree Analysis, FTA）

なく身につきません。

事故原因帰納法（FTA）は、きっかけ演繹法と逆の手順を踏みます。まず、大事故を思い浮かべ、その事故が起こるために必要な要件を考えていきます。たとえば、カーフェリーの沈没による大事故を考えてみましょう。図4-16のように、この大事故が起こるための要件は、船が沈み、かつ救命ボートがなく、さらに救助の手が差し伸べられないことになります。考察をさらに進め、こうした要件が起こるための要件を考えていきます。このようにして、大事故の発生までの過程が図に現れます。

事故を防止するには、事故原因帰納法の図を眺め、具体的な対策を講じることで、大事故への道を断ち切ります。どの事故原因を制するか、人間はどの異常で何をなすべきかを考えるのです。

◆「備えあれば憂いなし」だが、憂いを想像できるから備えられる。

第5章　実践　ヒューマンエラー防止活動

ヒューマンエラー事故を防ぐためには、具体的にどのような活動をすればよいのでしょうか。この章では、私が実際に携わった活動事例を紹介しつつ、考えてみたいと思います。

問題の共通点

「ヒューマンエラー研究家」という看板を出していると、さまざまな業種の企業の方から、ヒューマンエラーを防ぐための相談を受けます。この相談には共通点があります。

● 相談をもちこむ人は、労務管理の担当者が多い。現場作業者や現場監督者ではない。

●「ヒューマンエラーを防ぐための講演」や「新人教育方法」など、全従業員に一括的・共通的に行って効果がありそうな対策を求められる。労務管理者としてはそれが都合がよいのかもしれないが、作業現場の実態から離れたものになってしまう。

●事故事例の集計表をつくっている。

●集計表は、始末書の要点を抜粋して寄せ集めただけで、法則性を探す分析を行っていない。

●集計表の原因欄には、判で押したように「○○をまちがえたことが原因」と書かれている。その原因の原因についての考察がない。

●集計表の対策欄も、判で押したように「今後は指導を徹底させる」と書かれている。

●事故の頻度が非常に高い。毎週数件ペース。

●財政的制約のために、対策が難しいヒューマンエラー事故が多い。たとえば、明らかに人手不足によって事故が頻発しているが、人員増強という抜本的対策は財政事情が許さないという事例が多い。

●事故後の処理や謝罪対応に相当の労力と時間を割いている。つまり、事故前に事故予防をすることへの資金出動は厳しい制約を受けているが、事故後の尻ぬぐいへのコストはなぜか捻出できる。

●集計表のデータから、事故の起こった曜日を集計してみると、ムラがあることがわかる。事故の多い曜日には何をしているのか尋ねてみると、作業の締め切りになっているらしい。つまり、締め切りに間に合わせようとして事故が多くなっている格好である。

紙の上での話をこれ以上聞いても、作業の実情がよくわからないので、現場を見てみることにします。

◆クライアントはすでにかなり苦労している。

解決の糸口は現場に

事務作業が主体のある会社の現場を見てまわったときのことです。

その現場では、客から受けつけた書類について、内容を精査し、処理を決定し、コンピュータに入力し、客先に応答書類を送り返すという仕事をしています。作業は多種多様であり、単純な反復作業ではありません。そこでは、書類を置き忘れる、別の案件の書類が混入する、まちがった宛先に書類を送るといった、ヒューマンエラーが多発しているとのことでした。

驚いたことは、仕事の量の多さです。一日あたり数百の案件を数人でこなしています。全作業員が精神力をフルに使って仕事をしていると感じられました。しかし、もはや精神力は限界に近く、ヒューマンエラーが起こっても当然の状況でした。現場の方から、具体的な作業の仕方と事故の事例を聞きとってみると、だんだんと問題点がわかってきました。

まず、職場のレイアウトが作業に不向きであるとわかりました。その職場では、個人の机を寄せ集めて島にするという、日本の事務所でよくある机の並べ方をしていました。書類は、この机の上を行ったり来たりしているうちに、紛失や混入が起こると推察されました。また、個人に割り当てられた机は狭いため、作業工程が異なる書類同士でも重ねて置かねばならないこともわかりました。

解決は簡単に思えます。工場のラインのように、長机の上を作業手順に沿って書類を順送りすれば、書類の迷走は収まります。また、作業台を広くすれば作業を行いやすくできます。しかし、こんなに簡単な解決策が長年採用されなかったのには、何か理由があるのかもしれません。ここでは、答えめいたアイデアをうかつに出すのは差し控えました。

次に見つけた問題点は、道具と手順の問題です。

たとえば、ある書類では、重要な情報が余白部分に書かれていました。なぜ余白を使うのか聞いてみたところ、その情報を記入する欄が用意されておらず、顧客に余白に書いてくれと指示しているからだそうです。ならば、書式を改正して、きちんと欄を用意すればよいではないかと尋ねると、書類のレイアウトを改正する権限はかなり上の部署が握っているので無理とのことでした。会社組織が大きいので、仕事の設計部と現場とでは、顔を合わせたこともなく、所在地も遠く、連絡もまばらであり、意思疎通ができていませんでした。

事務用コンピュータのシステムは、かなり旧式で使いにくいものでした。データの表現にやたらと略号や数字が使われるのです。たとえば、作業員の入力が正しいか確認をとるときには、入力のもととなったふつうの日本語の書類と、「03：21　08：001　09：キサフ…」という軍事暗号電報のようなものとを照合しなければいけません。「第三欄は地域名で、21は東地区だから……」などと読解するのです。ここまで使いにくいコンピュータを成敗すべきなのは明白ですが、会社全体のシステムを入れ換えることになり、実現は難しいとのことでした。

手順でも無駄がいろいろ見つかりました。コンピュータに一度入力したデータを印刷出力して、別のコンピュータに入力し直すという、一見奇妙で無駄な作業が行われていました。二つのコンピュータ同士を通信できるように改造することは難しいので、こうした応急措置でしのいでいたわけです。

◆現場の問題点はすぐにわかるが、解決策への制約はくわしく聞いてみないとわからない。

解決策は当人たちが知っている

事情がわかってきたところで、具体的な対策を考えることにしました。

問題解決を考えるときには、「問題の解決策はクライアントがもっている」と肝に銘じることが秘訣(ひけつ)です。ほとんどの場合、クライアント自身が問題の解決方法をもっています。コンサルタントに相談しに来たのは、クライアント本人が思っているように「解決方法を考えだしてもらうため」ではありません。本当は、自分のもっている解決方法を実行するために相談に来たのです。「〇〇できれば問題を解決できるが、そうならないものかな」と思っているのです。自覚していないかもしれませんが、心の根底では問題の解決策など先刻承知なのです。

クライアントはアイデアをもっていないと決めつけて、口出しさせぬまま、コンサルタントがあれこれ答えめいた指図をするだけでは効き目がありません。

そこで私は、図5-1の〝ミス対策検討用紙〟を作業員と管理部門の人員全員に配

ミス対策検討用紙　　日付

★ミスの事象（例：FAXを別人に送りまちがえた）	
★上記ミスの直接原因は何か？（複数回答可）（例：FAX番号の復唱のし忘れ）	●この段階で対策を打つとするなら？（例：FAXはボタンに登録された番号以外へは使わない）

★このような状態が発生したのは、なぜか？（例：忙しかった。書類を急送する必要があった）	●この段階で対策を打つとするなら？（例：人数を増やす。FAX以外の方法にする）
★〈なぜのなぜ〉上欄の状態が発生したのは、なぜか？（例：締め切りが迫っていた）	●この段階で対策を打つとするなら？（例：締め切り別で仕事を整理し、急ぎの仕事を前倒しで着手する）

※よい対策案が思い浮かばなければ、多少難がある案であっても、とりあえず記入してください。

★どう対策しますか？（一つを丸で囲む）	
1）一つのミスは起きたが、現行の作業体制のままで、今後の経過を見る。	2）作業体制の早急な改革が必要であり、上記の対策の____番が使える。
3）上記の対策____番が望ましいが、その実施は難しい。	4）ミス防止に効き目のある対策を思いつかない。

図5-1　ヒューマンエラーの原因と対策を現場の人から聞きとるための用紙

布し、それぞれに問題をどう解決すればよいかを考えてもらいました。
ミス対策検討用紙には、次のように記入していきます。

①事故の直接の原因は何か？
②それを防ぐには、どうすればよいか？
③直接原因の原因は何か？
④それを防ぐには、どうすればよいか？
⑤直接原因の原因の原因は何か？
⑥それを防ぐには、どうすればよいか？
⑦どの対策が最も妥当か？　どれが実現可能か？

原因の原因、原因の原因の原因と掘り下げて考えることで、問題の捉え方を多角的にします。そして、それぞれのレベルでの原因に対する問題解決を考えます。どのレベルの原因を打ち消すことが一番やりやすいかを考え、それをその人の考える最善策の案とします。

もちろん、有効な最善策を簡単に思いつくという幸運なケースばかりではありません。そこで、自分の最善策は実行できるかを自己評価してもらいます。この欄があることで、「アイデアを思いついたけど、実現可能性が低いから書かないでおこう」という消極的な心理を防ぐことができます。

こうして、個人がめいめい最善策を考えたら、全員による検討に移ります。司会は、ミス対策検討用紙を回収し、それぞれ朗読して内容を比べてみます。こうして、同じ問題なのに、別の人はどれだけ違った捉え方をしているのか気づきます。自分が知らない事情があり、自分の思いつかなかった解決策があることを発見し、情報共有することを目指します。

私は事故集計用紙から、「ＦＡＸ番号をまちがえて、重要書類をまったくの赤の他人へ送ってしまった」という実際の事故事例をピックアップし、この問題を会社のみなさんに解いてもらいました。

【原因と対策の回答例】

●電話で相手のＦＡＸ番号を聞きとるときにまちがえた↓復唱して確認する。
●ＦＡＸ機の番号表示が見えづらい↓見やすいＦＡＸ機に買い換える、音声で知らせるＦＡＸ機に変える。
●重要書類をＦＡＸで送った↓ＦＡＸ使用を禁止し、郵送にする。
●仕事量が多く、締め切りに間に合わせようとして慌てた↓アルバイト作業員を増やして、仕事にゆとりをもたせる。

●仕事の締め切りが厳しい。目標作業所要時間の設定が短すぎる→目標作業所要時間を少し伸ばして余裕をつくる。

●忙しいときに、ＦＡＸ送信の仕事が発生したのでまちがえた→仕事の内容を曜日と時刻ごとに画然と分ける。複数の仕事を同時にかけもちしないようにする。

司会は私が受けもちました。司会といっても、アンケート回答を朗読し、回答同士の相違点を指摘しただけです。どのアイデアが最善であり、どれは無理であるなどと、論評はしません。そのような評価は、一番事情をわかっている従業員のみなさんが行うべきものです。

到底無理に見えるアイデアでも、それを可能にする権限をもった人に知らせることによって、可能になることもあります。また、現実味のあるアイデアがまったく思いつかない難問に対しては、みんながその作業はまちがえやすいのだと認識し、今後は慎重になります。こうした情報の共有こそが、事故を防ぐために最も必要なことです。

◆情報共有が事故防止のカギである。答えを出すことには真の効果はない。

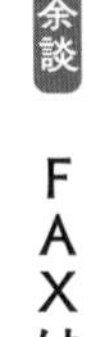

ＦＡＸは滅びなかった

「古い技術ほど寿命が長い。新技術ほどすぐに消える」という法則は強固に存在します。

音楽を記録する方法として、CD、MDといった技術が、それぞれ一世を風靡しましたが、今はすっかり衰退しました。一方で、一番古いアナログレコードは、アナログの味わいがあって、むしろ人気が復活しました。

この本の改訂にあたり、「FAXを題材にするのは流石に古いのではないか？」という議論がありました。しかし、FAXはいまだに健在です。二〇二〇年のコロナ禍の最初期では、保健所が感染者数をFAXで送信していて、その効率の悪さとまちがいの多さが問題になりました。古い技術であるFAXは寿命が長いのです。

なぜFAXが好まれるのでしょうか？　それはFAXがある種のヒューマンエラー防止の効果をもっているからです。

一番大きな点は、FAXはキーボードを使わなくてよいこと。打ちまちがいというヒューマンエラーは、コンピュータに不慣れな層には大きな障壁になります。

今の世の中なら、連絡は電子メールやチャットを使うのが一番ハイテクですが、これらは送信した実感が残りません。ボタン一発で通信完了なので、あっけなさすぎるのです。「あれ、さっきメールを送ったっけ？」と不安になることがあります。

一方、ＦＡＸはズズズと紙を引きずり込み、「ピロロー」と音を立てたりして送信されます。確実に送ったと実感できます。送った記憶がしっかり残ります。

また、ＦＡＸは紙に印刷されますから、ヒューマンエラー対策の一つである「状況の物体化」に自然と使えるのが長所です。小さな商店では、ＦＡＸで注文を受けることが多いですが、製品には注文書のＦＡＸの紙を貼り付け、どれがどの注文に応える品物であるかを識別しています。これなら管理が直感的ですし、まちがいにくいのです。なまじ、コンピュータによる管理に切り換えるより、安価で信頼できるＦＡＸから離れたくないという考えはもっともだといえます。

第6章　あなただったらどう考えますか

ヒューマンエラーを防ぐ力を身につけるには、理論の勉強もさることながら、雑多ながらも実践的なテクニックを知る必要があります。この章では、それらを問題形式で紹介していきます。

ここでは私の答えを掲載していますが、どんな場合もその答えが最善であるとは限りません。むしろ、解決のあり方は私が示した方法以外に複数あると考えてください。解答の優劣に気をとられるのではなく、問題をいろいろな方向から眺めてみる心がまえを会得しましょう。答えを暗記するのではなく、「ヒューマンエラー学」的に考えることを習慣づけることが狙いです。

①情報伝達

人から人への情報伝達は、きわめてまちがえやすい作業です。

たとえば、医師が書いたメモが悪筆で、部下の看護師が読めないという場合は、どうしたらよいでしょうか。

解説 まず、なぜ看護師は読めないメモを突き返さないのかと、素朴な疑問を感じます。これを第一の問題の捉え方としましょう。

医師と看護師とのあいだで権威の落差（権威勾配）が大きすぎることが問題の原因です。これでは、たとえメモの問題が解決したとしても、権威勾配を背景にした別の事故が起こりかねません。事故防止のためには、たとえ権威のある人でも行動にまちがいがあればそれを正すしくみをつくりだす必要があります。

対策として、偉い人のまちがいを正す体験や、部下に正される体験をする模擬演習が効果的です。偉い先生が、「これから私は、わざといくつかミスをするので、変だと思ったら質問してください。また、私から『やれ』といわれても、不審な点があったら従わないでください」と宣言し、模擬演習を行うというものです。この訓練を年に一回でもいいですから行ってみてはいかがでしょう。

次に、問題の捉え方、その二として、情報伝達方法の改良について検討しましょう。手書きメモは、あまり信頼できない方法です。どうしても誤字・脱字が発生します。また、字が下手な人もいます。手書きメモの安全化や代替策の考案は、歴史を見ても苦心惨憺（さんたん）たるものがあり、いろいろなアイデアが試されてきました。

●メモを書いたら、本人または他人に復唱させる。
●字を書く手間を減らす。同じ文字を書くなら、ハンコやカーボン紙などを使う。また、文字数を減らすために、記号や略号などを使う。選択肢を丸で囲む方式にする。
●書く場所を固定する。欄を用意し、そこに記入する（字数が減るし、解読の際にも楽）。
●メモではなく、物体を使って状況を表す。切符、タブレット、シール、コイン、リボンなどを使って状況を表す。
●まちがい訂正用の情報を備える。たとえば、住所の記載では番地だけを書くのではなく、郵便番号も添えると、まちがいを発見しやすくなる。

情報伝達は決して簡単で安全な作業ではありません。テネリフェ空港の大惨事は、コミュニケーションの失敗による事故でした。情報伝達の安全化には、創意工夫し、設備に投資し、労力を配分し、人間関係を是正するなどの広範な努力が求められます。

◇人の和をつくることが、情報伝達のまちがいを防ぐ。

②万物ハ一個ニツキ一円ナリ

ネット上の売買で、「パソコン一台一円」や「一株一円で売り」といった価格の入力まちがいが起こります。

こうした値段の打ちまちがいを防ぐ方法を考えてください。

また、本当に一円で売りたい場合、あなたの考えた方法で対応できますか？

解説 対策にお金をかけてよいのであれば、「古きよき時代に帰れ」式に、作業に人間を呼び戻すのがよいでしょう。現状のように、人間一人がコンピュータと向きあっているだけの世界では、あまりに不用心であり、まちがえて当たり前です。そこで一人増員して、価格を決める人と、価格を入力する人に分けると、二人作業班体制になります。価格入力係は、あまりに変な設定価格を聞いたならば、鵜呑(うの)みにせずに異常を感じるでしょう。他人のやっていることの異常には、気づきやすいものです。

また二人作業班では、会話がもたらす安全効果も期待できます。会話では、考えていることを声に出し、しぐさにも出すことになり、知覚チャンネル変更策になります。

作業の際の喚呼（声出し）は、安全性が厳しく求められる業界では、以前から採用されていました。映画『Uボート』を観ると、上官の指令を部下が復唱しています。まず、上官は自分の考えを声に出すことで、自己を見つめ直します。さらに部下が復唱するのを聞き、もう一度、自己客観視できます。

とはいえ、人の増員と喚呼の対策を行っても完璧ではありません。これだけではまだ数字入力の際の打ちまちがいの危険は減っていません。たいていのコンピュータシステムが、数字入力に関してあまりに粗雑につくられていることが、この問題を助長している向きがあります。

コンピュータへ数字を入力する機会があったら、画面をよく見てください。異様に小さい数字入力欄の中に、小さくてつぶれた数字を打ちこむようになっていませんか？　数字の見やすさをあまり考慮せず、安易にソフトウエアをつくると、こうなります。

さて、数字入力を安全にするにはどうすればよいのでしょうか。

かつては証券取引市場での情報伝達は、紙への殴り書きでした。殴り書きといっても、書きこみや読みとりでまちがえないように、用紙に工夫してありました。まず、用紙のサイズを大きくして、下手な字でも読みとれるようにしました。そして、数字の内容に応じて、書くべき欄が画然と分けられていました。こうして、記入位置をまちがえにくくしていたのです。大きく数字を記入することは肉体的作業であり、自分の行っている作業を実感しやすくなるという利点もありました。マウスクリックとは、運動の量がまったく違います。

大きな紙面に大きく書きこむ方式をコンピュータでも使えばよいのです。手書きの

1@610,000
610,000@1

図6－1　「1個を61万円で」の表記はどちら？

図6－2　61万円を絵に描いてみる

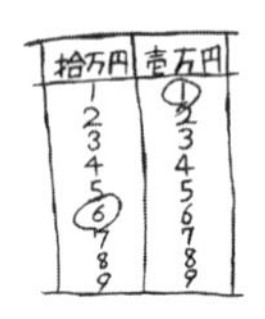

図6－3　61万円を手書きしてみる

メモをコンピュータに読みとらせてもよし。あるいは手書き入力装置を使う方策もあります。さらには、音声入力などの新技術を使うことも考えられます。

数字入力では、助数詞の効用も見逃せません。〝一〟という数字が、「一円」のことなのか「一株」のことなのかハッキリわかります。昨今のシステムに見られるような、「売610,000 @1」などという粗略な表示を断じて許してはなりません（図6－1）。「61万株を単価1円で売り」と表示すべきです。

ここまでしても、「61万株を単価1円で売り」が正しいのか、「1株を単価61万円で売り」が正しいのか、すぐには見分けがつきにくいものです。だめ押しとして、図6－2や図6－3のように絵にして見せましょう。一円玉の写真を出すとか、六一万枚の株券の絵を出すなどして、作業の意味を悟らせる手伝いをします。

年月日の数字の入力では、キー入力ではなくて、プルダウンメニューやカレンダー表から候補を選ばせる方式が多くみられます。これは「6月31日」のようなありえない値を入力させないための工夫です。

◆昔の制度をコンピュータ化するときには、使いやすさも引き継がせる必要がある。

③五叉路

道路の交差点は、丁字路と十字路が圧倒的に多く五叉（ごさ）路は珍しいため、そこに差しかかっても、ドライバーはたぶん十字路だろうと思いこんでしまいます。

その思いこみは事故のもとになります。人間はせっかちですから、交差点の信号待ちでは、いつ自分の番が来るかを気にしています。自分の車線ではない車線の信号を見ていて、それが赤信号に変わったとたん、いざ自分の番が来たと思いこみ、車を発進させてしまいます。

十字路ではこの目論見（もくろみ）が正しいことも多いのですが、五叉路ではまちがいです。自分の番はまだで、別の道の順番があいだに入ります。このときまちがえて発進すると

図６－４　残り時間の表示を備えた信号

衝突してしまいます（また、十字路でも複雑な交通整理を行う信号の場合は、同じまちがいになりえます）。

五叉路の信号機はどうすべきでしょうか。

解説　運転者へはよけいな情報を与えず、必要な情報だけを与えるように、信号機を改造しましょう。たとえば、ほかの車線の信号が見えないように目隠し板をつける、五叉路であることを看板に明記する、交差点の中心の地面に五叉路を表す棒を描く、図６－４のように自分の順番まであと何秒かかるかを表示するなどの方法があります。

設計者は、人間の性向が生みだす事故の危険性を想定して対処すべきです。五叉路でうっかり発進してしまった運転者は粗忽（そこつ）であり、法律的にはその人が悪いのです。しかし、人間がせっかちという性向をもつことを、信号機の設計で考慮しないのでは不親切です。

この不親切さは法律的にも悪と判定されることがあります。時差式信号機には、わざわざ「時差式信号機」と書かれた看板が設置されています。これは裁判の結果を受けての措置です。とある不親切でまぎらわしい信号機がある交差点で、運転者がうっかり発進して事故を起こしました。裁判では、運転者だけに全責任があるとはいえないとされました。そこで警察は改善のために看板を設置しました。

この事件の時差式信号機は、自分の車線が赤に変わっても、対向車線が青のままの期間がしばらくあるというものでした。運転者は「自分のいる車線の信号が赤になったときは、対向車線にも同じく赤信号が出ているはずで、対向車は停まってくれるだろうから、このタイミングが右折のチャンスである」と思ってしまいます。しかし時差式の場合は、対向車線は青のままですから、その車線の車は減速などせず高速度のまま走ってきます。そして右折しようとすると衝突事故になります。

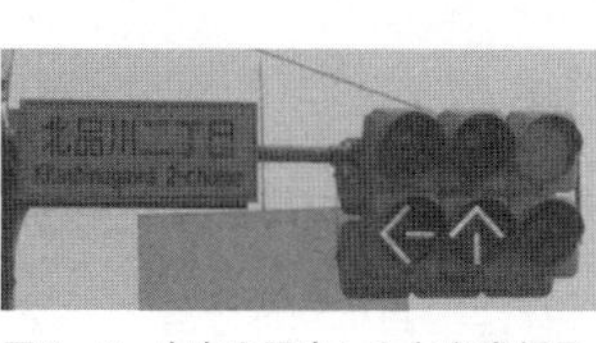

図6-5　方向を限定した矢印青信号

時差式信号機は、交差点の順番を絶妙に割り振ることで、渋滞を解消するために設置されています。しかし、運転する人間の思いこみに反するような、複雑な順番ローテーションを行うことがあります。信号機が人間の裏をかくようでは事故に直結します。便利なように見えて、罠になっているのです。

複雑な順番ローテーションを行うこと自体はよいことです。ただし、それが赤・青・黄色の三灯信号だけでは、運転者に誤解を与えかねません、図6-5のように、直進・右折・左折の各方向を別個に矢印型信号で表現すれば、複雑な順番ローテーションでも、きちんと指示することができます。

◆青信号が一個だけというのはケチりすぎ。

④アナログ？ デジタル？

あなたは自動車を買う際に、速度計がアナログのメーター表示の車と、デジタル（数字式）表示の車のどちらを選びますか？ 選択の理由は何ですか？

解説 私の勧める選択基準は、高速道路の長旅が多い運転者にはアナログメーターが適しており、それ以外の人にはデジタルメーターが向いているというものです。

高速道路の長旅では、速度を一定に調節することに気を遣います。これは、速度制限を守るという意味もありますが、運転計画に無理やムラが出ないように、ペースを整えるためにも重要なことです。

速度のように時々刻々細かく変化する量の調節には、アナログメーターを用いなければなりません。メーターの針の動作から、量の変化傾向とふらつきの度合いが容易に見てとれます。変動する量をデジタルメーターで表示しようとすると、量が増えているのか減っているのか、容易に読みとれません。

一方、高速道路での長旅以外では、値を瞬時に正確に読みとることができるデジタルメーターの速度計が適します。山道や都市部の高速道路のように勾配とカーブの多い箇所を走る場合は、カーブを安全に曲がるために、速度をすばやく読みとる必要があります。しかし、勾配の走行をくり返していると、自動車の速度がいくらなのかわからなくなってきます。そこで、瞬時に速度の値を読みとれるデジタルメーターが必要になってくるのです。この際、速度の変化傾向はさほど重要ではないので、アナログメーターの出番はありません。

市街地を走る場合も、デジタルメーターが向いています。市街地は、速度規制が激しく変わるため、これを守るためにはしばしば速度計を見なければいけません。速度規制は数字で書かれていますから、同じく数字で表示されるデジタルメーターが照合に適しています。

本当は、両方のタイプの速度計を備えている自動車が安全上はよいのです。自動車ではそんな贅沢(ぜいたく)なことはしませんが、飛行機のコックピットの機器では、デジタルとアナログの両方を二重に使っています。

◆デジタル表示とアナログ表示は得意分野が違う。

⑤恐怖と緊張

高速道路をオートバイで二人乗りする場合は、事故が少ないといわれています。なぜでしょうか？

解説 緊張感は人間を慎重にさせます。高速度でのバイクの二人乗りは一歩まちがえれば危険な状況であり、バイクの運転者は背後の同乗者の命への責任を感じ安全運転を心がけます。また、まわりの自動車の運転者も警戒します。さらに、高速道路でのバイクの二人乗りは、熟練者が安全な路線を通行する場合のみに許可されているという制度も、事故を抑えています。

かつて、香港の啓徳空港は世界一着陸が難しいといわれた空港でした。飛行機は、ニョキニョキと伸びた違法建築物「九龍城」の上をすれすれで飛ばざるをえませんでした。さらに悪いことに、着陸直前で旋回する必要があるために自動操縦装置が使えず、パイロットが自らの手で慎重に操縦する必要がありました。ヒューマンエラーによる事故が起こる条件がそろっています。しかし不思議なことに、ビルに衝突するような重大事故は起こりませんでした。これは、パイロットが緊張して慎重になったからだといわれています。

◆油断は事故のもと。慎重は安全のもと。

⑥何分まで待てますか？

人気のラーメン屋では食事どきともなると、客が店頭に行列をつくって待っています。一方、レストランの多くは、客をまずテーブルにつかせ、オーダーをとって待たせます。

店頭に並ぶ場合と、店内で待つ場合とでは、客の心理はどう違うでしょうか？

こうした待つことへの忍耐は、ヒューマンエラーの問題と関係があります。反応の遅い機械に対して、しびれを切らした客はどのような行動をとるでしょうか？　客をなだめるにはどうすればよいでしょうか？

解説　店頭に並ぶ場合、一〇分待つくらいは平気で耐えられます。一方、店内に座った状態で一〇分待たされると、相当イライラします。

この差は主体性の意識の違いでしょう。店頭に並ぶ行為は客が主体的に行っていて、いつでも自主判断で中止できるという自由があります。しかし店内に座ってしまうと、こうした自由が奪われ、ただ待つだけとなります。

反応の遅い機械に対して苛立った客は、再度操作し直す → でたらめなボタンを押す → 強制終了を試みる → 機械をたたく → 電源を抜くなどと、次第に短絡的で破壊的な行動に訴えるようになります。

客をなだめるには、機械が客へなんらかの情報フィードバックを与えることが必要です。たとえば「あと何分かかります」や「ただいま○○中です」というメッセージや、進行状況を示す棒グラフ（プログレスバー）など、人間を暴力的行為に走らせない〝お知らせ〟を機械は見せる必要があります。

とはいえ、情報フィードバック自体が故障していることもあります。パソコンを使っていると、いつまでたっても「○○中」のままだったり、所要時間の予想がまったくのデタラメだったりすることは珍しくありません。これが積み重なると、ユーザは情報フィードバックを信用しなくなり、暴力的行動を起こしやすくなります。

パソコンの情報フィードバックとして一番信用できるのは、ハードディスクのアクセス動作音です。動作音は作業そのものに由来するものですから、作業状況の真実をよく反映します。正常な作業をしているときと故障しているときとでは、音のパターンがまったく異なります。信用できないフィードバックより、こうした機械の内部事情そのもののほうが手がかりになります。

◆先の見えない状況では人間は短絡的になる。

⑦記憶と順序

次の文字列を暗記して、見ないで紙に書いてみてください。

「スヤエイワカクト」

忘れたり、まちがえやすいのは、どこでしたか？

解説　一般的に人間が覚えるのが得意な箇所は、先頭、末尾、ゴロの合っている部分の三つです。

先頭が記憶に残ることを〝先頭効果〟といいます。ですから、忘れてはならない大事な事柄は先頭に置きましょう。規則の第一条、コマーシャルの出だし、プレゼンテーションの冒頭などに重要事項をもってくるのが効果的です。

〝末尾効果〟というものもあって、最後に来た要素を記憶しやすいということです。たしかに効果はあるのですが、列のうしろに要素が追加されると問題です。今まで最後だった要素は中間の要素となり、記憶が薄れてしまいます。したがって、末尾効果に頼った記憶法は避けたほうがよいでしょう。

ゴロが合っている部分も記憶に強く残ります。この例では「ワカク」の部分が「若く」のゴロと合いますので、「ワカク」という文字列が存在することを覚えていた人も多いのではないでしょうか。

種明かしをすると、この文は逆さまに読めば全体でゴロが合うので簡単に覚えられます。

◆最初しか覚えてもらえないと覚悟したほうがよい。

⑧記憶力とは何か

前問のような記憶現象の話に接すると、「人間はものごとを何個まで記憶できるか」と考えてみたくなりますね。

この問いに対して次のように考える人がいたとします。

「朝、出かける際に、投函すべき手紙をカバンに入れておいたが、ポストに寄ることを忘れて、目的地まで一直線に行ってしまった。こうしたことはしばしば起こる。したがって、人間は一個すら記憶できない」

さて、この考えは正しいでしょうか？

解説 一個も記憶できないという主張は、明らかにまちがっています。では何が問題なのでしょう。

記憶には三つの能力の側面があり、これを混同して考えた点がまちがいなのです。

- 識別能力……詳細は記憶していないが、実物を見れば識別できる（例：五円玉の模様を完全には覚えていないが、偽物と本物の区別はつく）。
- 記憶保持能力……問われたり、刺激を受ければ思いだせる（例：歩いていたら、たまたまポストが目に入ったので投函すべき手紙をもっていることを思いだした）。

●記憶呼びだし能力……ここぞというときに自発的に思いだせる（例：なんのきっかけがなくても、ポストに寄るべきことを思いだせる）。

記憶呼びだし能力は、記憶の重要度に依存します。気がかりな事柄の記憶の呼びだしは容易です。また、指にこよりを巻きつけるなどの工夫で、記憶呼びだし能力を補強することができます。記憶データを脳の外の物体として〝外在化〟し、人間の気にさわるものとして〝刺激化〟することで、呼びだし失敗を防げます。

◆覚えるより、思いだせるかが問題。

⑨ありがた迷惑

よかれと思った行為がヒューマンエラーにつながるということがあります。

たとえば、手術室を片づけようとした看護師が、台に置いてあった邪魔なクーラーボックスを別室に移しました。その後、そのクーラーボックスは放置され、中に入っていた移植用の腎臓がダメになってしまいました。

この種の事故は、どうすれば防げるでしょうか。

解説 問題のポイントは、「危険な行為の糸口であっても、それが必ずしも危険であるように見えるとは限らない」ということにあります。なんの変哲もないクーラーボックスが、まさか事故の発端とは思いもよりません。むしろ、包丁のように見るからに危険なもののほうが、ありがた迷惑型の事故は起こらないものです。

すると、事故防止策としては「危険な物や大切な物は、一目瞭然にそれとわかるような外観にすること」となります。贈答品は豪華に包装されるように、内容と外観は関連させるべきです。

この事故では、平凡なクーラーボックスのままの外見ではダメで、飾りや札をゴテゴテとつけて、内容物の重要性を示すべきだったのです。

重要な内容で無視されては困る手紙を相手に確実に読ませるには、速達書留にするとよいでしょう。封筒の外観が、「こんなにお金をかけるくらい重要な手紙です」とアピールしてくれます。

◆ありがた迷惑を誘発しそうな外観は改める。

⑩パニック

非常出口の扉は、ふつう戸外に向かって開くように建てつけられています。火災などの緊急時に、人間が扉を押し開くだけで脱出できるからです。

逆に、扉を引くように設置すると危険です。人が殺到している場合には、扉を引くスペースがなく、開けなくなってしまいます。また、障害物を押しのけて脱出したいという避難者の本能にも反します。

しかし、建物の空間的事情のため、内開きの扉を設置するしかない場合もあります。パニックになった人が逃げだす際に、この扉をうまく開けさせるにはどうすればよいでしょうか。

解説 内側から強く押すと、外れたり、割れる扉にするのが正解です。緊急用なら多少の破壊は許されます。

パニック状態の人間に「内側から強く押す」以外のことをやらせようとしても無理です。「この扉は内側に開ける」と注意書きしても、効果は期待できません。

◆非常用手段は多少の損害が出る方策でもよい。

⑪命令に従わない機械　モードの切り替え問題

使用者の思惑と、機械の思惑が一致しないことで、いろいろな事故が起こっています。

一九九四年に、名古屋空港で墜落事故が起きました。この事故では、機長は降下し着陸しようと操作をしていました。しかし、飛行機のコンピュータは、着陸を回避するモードに設定されており、降下しないよう操作をしました。結局、飛行機は二つの矛盾する操作を加えられ、墜落したのです。

こうした大事故に限らず、われわれの日常生活の中でも、人間と機械が対立することは多いようです。パソコンやテレビ録画機が変なモードに設定されていて、頑として人間のいうことを聞かないということはよくあります。

どうすれば人間と機械の対立は防げるのでしょうか。

解説　機械には、守るべき三つの原則があります。

①機械は、その状態を人間に教えなければならない。飛行機が手動操縦モードなのか自動操縦モードなのかをわかりやすく教示すること。わかりやすさが重要である。状態を示すランプが一つ点灯しているとか、アラーム音が鳴るという抽象的な表現では理解されないおそれがある。機械が音声で具体的に説明するとか、は

っきりと目立つ作業状況の物体化を使うという方策がベターである。

②機械は、人間の意志を理解しなければならない。機械は人の考えを察するようにつくるべきである。パイロットが操縦桿をガタガタ振り回しているならば、それは自分が操縦したいという意思の表れである。これを察して、自動操縦モードを解除すべきである。

③機械は、人間の意志を優先しなければならない。そして、人間を優先させる手順に統一的な決まりがなければならない。名古屋空港事故の例では、パイロットが操縦桿を大きく動かしたならば、手動操縦モードに切り替わるという決まりがあればよかったのである。自動操縦モードは手動より劣位に置くべきであった。ここで、優先化の手順が〝統一的〟であることが重要である。〝変なモード〟に入ってしまって人間のいうことを聞かないパソコンや機械とは、どうやればふつうのモードに戻せるのかわからない機械である。もとに戻せる操作手順が作業の内容の違いによらずに統一してあれば、変なモードから迷わずに脱出することができる。決まったボタンを「メニューに戻る」「取り消す」「一つ前に戻す（アンドゥ）」に固定的に対応させておくと、困ったときはそのボタンを押せばモードの迷宮から脱出できる。

◆便利なモードのはずが、はまったら抜けだせない罠となる。

図6-6 折れ曲がりストローには向きがある

⑫向きの呪い　基本編

私は先日、ファストフード店で、折れ曲がりストローの向きをまちがえて、図6-6のように、折るほうの端をジュースに突っこんでしまいました。このエラーを防ぐにはどうすればよいでしょうか？　お店ができる対策を考えてみてください。

解説　いろいろな飲食店で観察してみました。さまざまな方策がありましたが、第4章で述べたヒューマンエラー抑止の三段階で整理できます。

●作業を行いやすくする……向きのないふつうのストローを使う。ストローを使わない。

●ミスに気づかせる……紙コップにキャップをつけ、それにストローを挿し通すときに、折れ曲がり箇所に客が気づくようにする。

●被害を抑える……このタイプの事例は見つからなかった。客も店もこのエラーによる被害を気にしていない様子。

向きの違いがあるものは、向きを取り違えるエラーを誘発します。私はこれを〝向きの呪い〟と呼んでいます。

したがって、向きの違いをなくしてしまえば、エラーの発生も根本的になくなります。向きがないとは、対称な形状であるということです。たとえばストローの場合、両側が折れ曲がりになっていれば、向きがなくなります。またゴムホースのように、どこでも曲がるストローもエラーをなくします。これも、対称性の一種です。

また、逆に対称から大きく離れ、完全にいびつな形であれば、使用者が向きをとり違えることはなくなります。ストローの例では、タバコのパイプのように奇妙であからさまな形にしてしまえば、ついうっかり向きをまちがえるということは防げます（その代わり、どちら向きに使うか悩んだすえにまちがえるということはあるでしょう）。

要は、向きの呪いを鎮圧するには、そもそも向きをなくすか、使用者がうっかりしないように工夫することが必要です。向きの違いがあるくせに、形自体で気づかせられない部品は、いつか必ずまちがわれるものです。

二〇〇五年に、ある航空会社のボーイング七四七機で、左右のエンジンを取り違えて装着していたというミスが発覚しました。整備のために取り外したエンジンを再度取りつける際には、エンジンの識別番号で左右を区別させるという方針だったようです。左右のエンジンには多少の違いはあるものの、まちがえても取りつけることができ、しかも通常の運行に支障がないものでした。

もし、左右の違いを厳守させたいのなら、エンジンの取りつけ部分の形を左右で違うものにして、取り違えると取りつけられないようにするべきです。逆の方針で、左右の向きをなくすというなら、左右のエンジンを完全に同一物として設計すべきです。中途半端はいけません。

不要な向きの存在は、取り違え事故の問題の余地を与えるだけでなく、機械を使いにくくするという悪影響も与えます。たとえば、電気機関車EF五五は、前進とバックとで最高速度に違いをつけた設計でした。営業運転では高速度で走行するべきですが、バックの向きではあまり速度が出せません。車両の向きを直すためには、転車台などの設備を用意しなければなりません。当然、運用しにくく、お蔵入りとなりました。しかし、向きの違いがある特徴的なフォルムが鉄道ファンには愛されています。

向きの違いといえば、蒸気機関車は向きなしにはつくれません。この向きの違いによる使いにくさは、しかたがないものと考えられていました。転車台がない路線では、多少使いにくくても、機関車を前後逆さまに連結して運転することはやむをえませんでした。その前後逆さま連結の機関車が、一九三〇年に久大本線でボイラー爆発事故を起こしました。前後逆さまですから、ボイラーが客車に近くなる向きです。ボイラーからの熱湯と蒸気が客車に突入し、客がそれを浴びて死傷しました。これを機に、各路線に転車台を整備するようになりました。〝しかたがない〟という認識から安全への投資に切り替わったのです。

◆無駄な向きの違いはつくるな。

⑬向きの呪い　世間の事情編

向きの正誤は、深い理由はなく、ただ世間の慣例によって決められているだけという場合があります。この慣例が統一されていないと問題になります。

たとえば、エスカレーターの乗り方もそうです。急ぐ人のために片側を空けるという慣例があります。しかし、東京では右側、大阪では左側を空けるというように、地域によって異なります。この違いをまちがえないようにするには、どうすればよいでしょうか。また、慣例の違いの境界地帯ではどうすべきでしょうか。

なお、エスカレーターの製造会社は、エスカレーターで歩くことは緊急停止などを引き起こす可能性があり危険なので、片側を空けないようにしてほしいという見解をもっています。その危険を防ぐにはどうすべきでしょうか。

解説 まず、エスカレーターは、片側を空けて急ぐ人は歩いてよいという現状を認めたうえでの解決策を考えましょう。

向きの違いをなくすという方針で考えると、二人分の幅があるエスカレーターはやめて、一人幅のエスカレーターに取り替えれば、左右の選択がそもそも存在しなくなります。とはいえ、一人幅では輸送能力が減ってしまいます。これでは不便ですし、混雑という別の問題がもちあがります。ほかにも、一人幅では建物と寸法が合わないとか、大きな荷物を持ち込めないなど、いろいろと弊害がでそうです。

歩行者にエスカレーターの乗り方の指示を出すことも効果的です。看板を出したり、踏み板の上に印を描いたりすることで、左右の使い方の違いを教えられます。

しかし、この解決策は採用されていません。それは、エスカレーターでは歩くなという建前があるからです。これはたしかに安全に資する建前なのですが、街中を見る限り、誰も守っていません。この建前は破っても危険ではないのだなというメッセージを人びとに与えているからです。

エスカレーターの上で使用者を歩かせない工夫は、「監視員を立てる」や「段差を大きくして歩きにくくする」などが思いつきます。しかし、それではわれわれが感じているエスカレーターの〝利点〟がなくなってしまいます。ラッシュアワーの駅で、エスカレーターを歩くなといわれても困ってしまいます。遅いエスカレーターでは客をさばけません。階段が併設されているところならまだしも、エスカレーターのみという駅の通路が最近増えています。

エスカレーターの速度を上げて歩く必要性を減らすことは正攻法ですが、エスカレーターの乗り降りで失敗するという別のエラーを招きます。

結局のところ、歩くべきではないという建前と大勢の人が歩いているという現状のあいだで、責任も曖昧なままに使われているのがエスカレーターの現状です。

◆深い理由のない向きの違いは、現物に指示をつける。

⑭向きの呪い　その根深さ

向きの呪いは、意外と根の深い問題です。不便さの原因になるだけでなく、大事故を招くことがあります。

たかが向きの問題。なぜ簡単に鎮圧できないのでしょうか？

解説　なぜ簡単に解決できないのか、そのおもな理由をあげてみます。

①頻発する……ほとんどすべての題材で、向きの違いの問題は存在する。たとえば、冷蔵庫で考えると、扉の開く向き、冷蔵室と冷凍室の上下、内部の棚を取りつけ

る左右上下の順などが向きの違いのもととなる。しかし、設計者は、向きにはたくさんの違いがあることや、その取り違えが事故や不便さにつながることを考え漏らしやすい。模型をつくって手にとって確認しないとしばしばまちがえる。

②どっちでもよいから不統一……向きの選択の理由が乏しい。右だろうが左だろうが、限定された範囲内で統一されているならどちらでもかまわない（図6-7）。このため、制度は地域によって独自にバラバラに決められてしまいがちである。全世界規模では統一されない。

③事情により不統一……向きの選択の理由が変わると、選択ルールも簡単にひっくり返る。たとえば、トラックは高速道路では左車線を走れと指導される。ほかの

図6-7　空港の荷物牽引車
日本であっても左ハンドルになっている。限られた範囲なら左右の世界統一は可能。

図6-8　一般道でのトラック用車線
高速道路とは逆に「トラックは右車線を走れ」と指示されることもある。

速い車のために右側車線を空けるためのルールである。しかし、市街地では右側車線を走れと指示されることもある（図6－8）。騒音がなるべく小さくなるように、人家から離れた車線を使えという狙いである。

④数学的に難しい……向きの違いが何通りあるかを計算するのは難しい。たとえば、タコが三本の脚を使って三つ物をもつとき、足の選び方には何通りあるだろうか。答えるには数学の知識を要求される。

⑤被害は無視できないほど大きい……たとえば、高速道路のパーキングエリアから出る際に、まちがった出口を使うと、すぐに正面衝突事故になる。

⑥露見が遅い……成功とわずかな差しかないので、途中まではうまくいき、最後の最後になってダメだったとわかる。パーキングエリアのまちがった出口は、ちゃんとした道に見える。

⑦決められたルールを反射的に守るしかない……左側通行と右側通行のどちらが正しいのかと考えても答えは出ない。ルールを丸暗記するのみ。

⑧作業指導が省かれやすい……左右が違うだけの作業の指導はかったるい。「まずAを行い、次いで左右の向きを逆にしてもう一度Aを行う」などと省略したくなる。しかし、〝左右逆〟は一つとは限らない。むしろ多数の向きの違いがあるのがふつうである。〝左右逆〟とひと言ですませるわけにはいかない。

◆向きの呪いは強敵だ。

⑮リスト

目的物を支払わないと、その目的物が得られないという、奇妙なシステムが案外多く存在しています。

たとえば、ビルの部屋の案内表示を階・部屋番号順にしている例は多いようです。これでは、部屋の使用者の名前からはその位置を割りだせません。先に部屋の位置を知りたいなら、部屋の位置を知っていなければならないのです。

なぜ、この方式の案内板が多く見受けられるのでしょうか？

解説 ビルのオーナーやメンテナンスの人びとにとっては、「何階には誰が入居しているか？」や「空室があるか？」が気がかりな問題です。こうした問題に対しては、案内板は階・部屋番号順にしたほうが便利です。そしてオーナーは「この案内板は使いやすい」と思いこんでしまいます。

しかし正しくは、「私には使いやすい」のであっても「誰にとっても使いやすい」とは限らないことが落とし穴です。結局、案内はその設置者の使い勝手が反映したものになりがちです。

リストの並べ順の基準を不適切に選ぶと検索しにくくなる現象を〝情報の非対称称

性〟といいます。

人間は、情報の非対称性には無頓着な傾向があるようです。案内板が自分にとって使いやすければ、ほかの人にとっても使いやすいだろうと考えてしまいがちです。

適切な並べ順とは何かという問題もあります。たとえば、図6-9のように、あいうえお順の駅名運賃表なら、たしかに駅名から運賃を探すことは楽かもしれません。しかし、駅がどの路線にあるかは、この表示ではわかりません。切符は買えたが行き方がわからない状況に陥ってしまいます。切符に行き先案内を書くなどの工夫が必要になります。

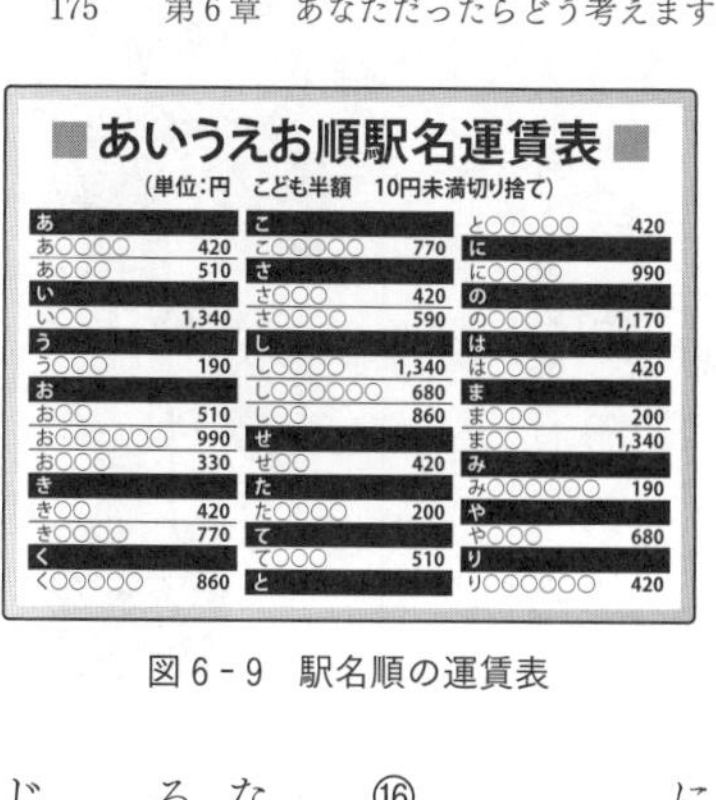

■あいうえお順駅名運賃表■

（単位:円　こども半額　10円未満切り捨て）

あ	
あ○○○○	420
あ○○○	510
い	
い○○	1,340
う	
う○○○	190
お	
お○○	510
お○○○○○○	990
お○○○	330
き	
き○○	420
き○○○○	770
く	
く○○○○○	860
こ	
こ○○○○○	770
さ	
さ○○○	420
さ○○○○	590
し	
し○○○○	1,340
し○○○○○○	680
し○○	860
せ	
せ○○	420
た	
た○○○○	200
て	
て○○○	510
と	
と○○○○○	420
に	
に○○○○	990
の	
の○○○	1,170
は	
は○○○○	420
ま	
ま○○○	200
ま○○	1,340
み	
み○○○○○○	190
や	
や○○○	680
り	
り○○○○○○	420

図6-9　駅名順の運賃表

◇使いやすさを自分の目線で考えるだけではダメ。

⑯名前の呪い　専門用語

名称のつけ方が不適切であり、誤解や事故のもととなることがあります。裏を返せば、適切な名前をつけることは難しいものです。

たとえば、〝自閉症〟という字面は、〝自分の殻に閉じこもっている精神症状〟と誤解を招きます。なぜ、

図6-10　踏切の「こしょう」表示

このような呼称になったのでしょうか？

解説　専門用語は学問の歴史にとらわれやすいという傾向があります。発見者が命名権をもち、それが発見者にとっての名誉でもあります。このため、研究が充分進んでいない段階なのに、憶測をふくんだ名称をつけてしまうことが頻発します。その名称がのちの世で不適切となっても、発見者の命名権を尊重するために、名称の変更は容易に認めません。命名は名誉や権力の証（あかし）なのです。

正しい命名法とはいかなるものでしょうか。

命名する際には、客観的で控えめな名前をつけましょう。憶測をふくむものや、価値観を匂わせる名称を選ぶことは控えるべきです。

事柄を何かにたとえた名称もお勧めしません。たとえば、うどん粉病はうどん粉とは実際には関係ありません。誤解のもとになります。

また、重要である事柄に、非重要な印象を与える名称をつけることも避けましょう。二〇〇五年に京浜東北線大森駅付近の踏切で、待ちきれなくなった歩行者が踏切内に立ち入り、列車に轢かれる事故がありました。踏切は図6-10のように「こしょう」という表示を出していました。しかし歩行者はその意味を正しく理解せず、線路に立ち入ってしまったようです。

ふつう〝こしょう〟という表示を見ると、踏切が故障しているものと理解します。踏切の遮断棹が下がりっぱなしになっているのは故障のせいであり、列車は来ないのだから立ち入ってもかまわないと考えてしまいます。

しかし、この場合の〝こしょう〟とは〝差しつかえる〟という古めかしい意味でした。列車の運行に差しつかえがあってダイヤが乱れており、遮断棹がずっと下がりっぱなしになることもあるので、踏切横断をあきらめて迂回してほしいという、意味深長なメッセージがこのひらがな四文字に託されていたわけです。

専門用語の故障と、一般用語としての故障のギャップが事故の原因となりました。この事故を受けて、踏切の表示方法が改められました。

◇専門用語が事故のもとになることもある。

⑰名前の呪い　一貫してますか？

シュナイダーマンという学者は、一九八七年に「ヒューマンインタフェース設計の黄金律」を提唱しました。それによると、表示方法や操作方法には一貫性がなくてはならないとあります。たとえば、「はい／いいえ」の選択方法が毎回異なっていたら、

図6－11　高速道路の分岐を教える矢印の規則

それは使いにくいし、まちがいを誘うことになります。たしかに一貫性は守るべきものです。しかし、何をどう一貫させるかという問題があります。

首都高速道路の案内標識を例にとって考えてみましょう。首都高速道路では、道路の分岐点で運転者が正しい道を選ぶように、案内標識を掲示してあります。分岐点の標識には二種類あり、別の高速道路路線に移る分岐点を示す〝本線分岐標識〟と、高速道路から一般道へ出る分岐点を示す〝出口分岐標識〟とがあります。また、それら標識には、分岐点のかなり手前に設置され予告をするためのものと、分岐点の位置に設置され最終の告知をするものがあります。つごう、分岐に関しては四種類の案内標識があるわけです（図6－11）。

最終告知では、本線分岐標識も出口分岐標識も共通して、ナナメの一本矢印で出口が示されます。つまり、ナナメ一本矢印は「今ここで分岐しろ」の意味で一貫しています。

一方、予告標識では共通していません。出口予告標識は「逆さトの字型」の矢印であり、本線分岐予告標識はY字型矢印です。

ようするに、「高速道路の出口」と「高速道路の分岐」は、予告では看板の絵が違うのに、分岐地点では絵が同一なのです。このため、分岐地点では両者の見分けがつかないという問題が生じています（図6－12）。

また、矢印の形と実際の道路の形が一致せず、ややもすると誤解を招くことがあります。道路の分岐点の形がトの字型の本線分岐やY字型の出口は、看板のルールに反する形状になっています。矢印の形を鵜呑みにすると誤解します。

箱崎ジャンクションの六号線と九号線の分岐点は、複雑であり単純な矢印では表せません。そこで、図6－13のように、実際の道路形状を模した矢印で表示しています。しかし、これでは図6－11の表示の一貫性がなくなってしまいます。

一貫性を厳守すべきでしょうか。それとも例外を許すべきでしょうか。あるいは例外に頼らない一貫性をもった表示はできるでしょうか。

図6－12　見分けがつかない分岐表示
左への分岐は別の高速道路路線への分岐か？　それとも高速道路を出るものか？

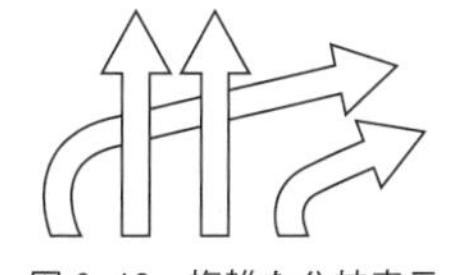

図6-13　複雑な分岐表示
道路の形そのままの矢印で案内しているものもある。

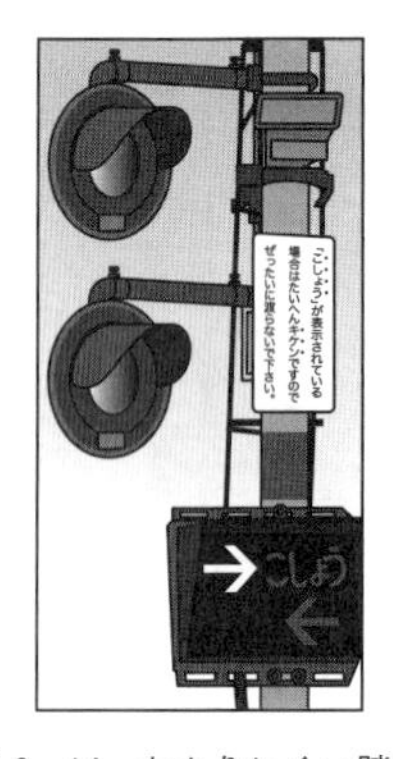

図6－14　わかりにくい踏切①
右向きの矢印ランプが点灯していた。

図6－15　わかりにくい踏切②
事故の影響で長時間点灯が続くと、踏切は自動的に「こしょう」の表示を点灯する。このとき、矢印ランプが消えていることに注目。

解説　結論からいえば、「わかりにくければ一貫していても意味がない。わかりやすく、かつ例外のないような一貫性が望ましい」となります。

案内標識の場合、矢印の形の一貫性を厳守するあまり、現実の道路形状を無視している点が問題です。わかりやすくなるように、矢印の形状を現実の道路形状に似せることを一貫して守ればよいわけです。本線分岐と出口分岐の違いを示すためには、矢印の形ではなく、別に記号などを追加するほうが無難でしょう。

ただし、例外的状況で守りきれない一貫性は、事故のもとになります。

先述の踏切の例で見てみましょう。

踏切は通常、図6－14のように、列車

の進行方向を表す矢印を点灯します。しかし、ダイヤの乱れで何十分も遮断棹が降りたままになると、図6-15のように〝こしょう〟とだけ表示し、矢印を消灯します。矢印の消灯を見て、通行人はどう思うでしょうか。「矢印が点灯していないから列車は近くにいないはずであり、渡っても大丈夫だろう。実際、何十分も列車が通っていないのだし」と思うのが人情です。こうして通行人がぞろぞろ踏切内に入りこみ、運転を再開した列車に轢かれる事故につながるわけです。ようするに、矢印点灯と列車走行状況とに一貫性がないことが問題なのです。

ちなみに、いわゆる〝当り屋〟は自動車のブレーキランプに一貫性の不備があることを利用します。自動車のブレーキランプは、サイドブレーキ（ハンドブレーキ）やエンジンブレーキによる減速では点灯しません。そこで当り屋は、わざとノロノロ運転をし、カモがうしろに近づいてきたところで、ブレーキランプが点灯しない方法で急減速します。ブレーキランプが点灯しない分、追突させやすくなります。

◆一貫していればなんでもよいわけではない。

⑱名前の呪い　先入観

プラトンの著書に『クラテュロス――名前の正しさについて』というものがありま

す。その中で、単語の語感・響きと意味に関係があるかないかを議論しています。〝ゴジラ〟という名前は濁音が多いから強い感じがします。〝セーラームーン〟は長音が多いので華麗な感じがします。そこで、「名前の起源は対象物の特徴である。それを種として、それを表す音になるようにつくられる」と仮説が考えられます。『クラテュロス』ではその真偽を論考しています。仮説の真偽は置くとして、名前の語感や、表現のもつ先入観が事故の原因となることがあります。

一九七九年のスリーマイル島原発事故では、弁が開いていることを示すには赤ランプ、閉じていることを示すには緑ランプを点灯させていました。われわれは「赤なら危険、緑なら安全」という先入観をもっています。しかし、弁の開閉状況と、それが安全か危険かは、単純な関係ではありません。それは状況によるものであり、「緑ランプならいつでも安全」とはいえません。

こうした、色による先入観に惑わされないようにするには、どうすればよいでしょうか。

解説 この事故では、赤ランプに、「目立ってほしい」という目論見と、「警告の意味を感じてほしい」という目論見を負わせていることに問題があります。二つの目論見を同時に満たすことは難しいでしょう。

どちらかの目論見を捨てるべきです。色に目立たせることの役割を負わせることは考えられないでしょうか。

何も色を使わなくても、表示レイアウトを工夫すれば、注意すべきところに人間の注意を誘導させることはできます。

表示レイアウトの工夫や、知覚チャンネルの取り合わせの工夫などを組み合わせて行うべきです。とくに、第4章で紹介したポップアップ効果は強力な注意誘導をもつのでお勧めします。

◆内容と先入観が合い、なおかつ見やすい表示をつくる。

⑲名前の呪い　まぎらわしい

近距離にまぎらわしい地名が複数あることがあります。たとえば、横須賀と横浜、広と広島、豊田市と豊橋など。一番すごいのは、浦和・北浦和・東浦和・南浦和・西浦和・中浦和・武蔵浦和という隣接する七駅です。

逆に、実質上は同一物なのに、名称が異なる場合もあります。たとえば、梅田駅と大阪駅、塩化ナトリウムと食塩。

こうした名称の混同や分裂に惑わされないようにするには、どうすればよいでしょうか。

解説　正攻法は、補助の情報を与えるという方策があります。たとえば、駅なら駅名以外に駅番号もつけると、まちがえにくくなります。補助の情報は、体系的に決めることが望ましいです。駅番号は、駅の位置の順にしたがって決められるので、たいへん便利です。

体系的に決めることができない場合は、ニックネーム、異名、符牒（ふちょう）が使われます。印刷業界では、「上」の字を〝カミジョウ〟と呼びます。〝ウエ〟や〝ジョウ〟だけではほかの文字と混同するおそれがあるからです。

なお人名は、同姓同名の発生という問題があります。人名だけを人物識別の手がかりにしている作業は、同姓同名の発生により破綻しかねません。住所、生年月日、電話番号といった付帯的な情報を使って補強することになります。しかし、これらの情報はプライバシーにかかわるものであり、本来は秘密にすべきものです。識別用のニックネームを各自に考えてもらうなど、プライバシーに関係しない識別情報をつくりだすべきでしょう。

◆まぎらわしい名前には補助情報をつける。

⑳名前の呪い　伝統の惰性

たいていのソフトウエアで、分類しにくいメニュー項目は、「ツール」の「オプション」とか「設定」と称する所に入っています。そのような項目は非常に雑多な内容になっています。

「ツール」の本来の意味である「道具」とは、かけ離れています。このため、初心者が項目を探す際に、それがよもや〝道具のオプション〟にはあるまいと思い、見つけられないという現象が起こっています。

どのソフトウエアでも申し合わせたように、こうしているのはなぜでしょうか。

解説　理由は、この慣例を知らないような素人は相手にしなくてもよいという暗黙の了解がソフトウエア設計者に根強いからでしょう。かなり大手のソフトウエア会社がつくった、素人も使いそうな製品でも、「ツール」の「オプション」には雑多な内容が放りこまれています。

この慣例のために、分裂を生じることもあります。たとえば、画面表示に関する設定項目が、本来「表示」メニューの中にすべて収められるべきであるのに、「ツールのオプション」の中にもまぎれこんでいたりします。

本来なら、慣例を大幅に見直す必要があります。しかし、ソフトウエアが巨大になると、抜本的改造は難しくなります。ソフトウエアの製造効率を考えると、旧バージョンへの追加的改良を行うことが現実的であり、抜本的な白紙改正は困難です。また、旧バージョンのユーザにとっては、ヒューマン・インタフェースを白紙改正されると使いにくくなる可能性があります。結局、慣例に引きずられていくのです。

◆伝統だからといって合理的とは限らない。不合理だからといって改められるとは限らない。

㉑振り込め詐欺

家族が緊急事態に陥ったと騙り、その解決のためにと、大金を犯人の口座に即時に振り込ませるように仕向ける〝振り込め詐欺〟がはびこっています。

振り込め詐欺を防ぐには、どうすればよいでしょうか。振り込め詐欺を防ぐATM(現金自動預け払い機)は実現できるでしょうか。

解説 まず、被害者にならないための、個人的な工夫から考えてみましょう。

この犯罪の特徴は、すぐにお金を振り込ませる点です。時間が経つと詐欺であるとばれやすいからです。したがって、すぐに振り込めないしくみにするという対策が有効です。通知預金のような「大金をすぐには引きだせない口座」に預金するという方策があります。慌てた人の振り込みを冷静な人が制限する方法には成年後見制度もありますが、これは後見人の力が強すぎてカドが立ちます。

次に、金融機関ができる工夫を考えてみましょう。被害者が窓口を使うか、ＡＴＭを使うかによって、事情は異なります。

窓口での人間同士の対面手続きなら、被害者の動揺した様子を係員が察して、振り込め詐欺ではないかと尋ねることができます。これは詐欺かもしれないと気づくチャンスです。とはいえ、二〇〇五年のある事例では、窓口の係員が「振り込んでも大丈夫ですか？」と確認したのですが、それでもごっそり五〇〇〇万円を振り込んだそうです。電話で詐欺師に「絶対に他人には話さないでくれ」と泣きつかれると、被害者は他人の助言を受けつけなくなるようです。

ＡＴＭが人の心理を察することは難しいですから、こうした方策はつけません。せいぜい、ふだんとは違う相手先に大金を振り込むときに警告を出すぐらいでしょう。

最近は、ＡＴＭでは大金を振り込むことができなくなりました。大金を扱うなら、安全な窓口での作業が強制されます。これは客にとっては一面サービスダウンですが、安全性の観点からいえば歓迎されるべきことでしょう。

◇便利なしくみは、まちがって使うと被害が大きい。

㉒デザイン倒れ

デザインに凝りすぎた工業製品が、使いにくいということがあります。しばしば、工業製品を選ぶとき、「安全だがカッコ悪いデザイン」か「危険だがカッコいいデザイン」の二者択一になっています。

この妙な二者択一はなぜ生じているのでしょうか。「安全でカッコいいデザイン」はどうつくればよいのでしょうか。

解説 工業デザイナーは、とにかくカッコよくなければ売れないという考えを強くもっています（実際、消費者はデザインで製品を選ぶ傾向があるので、この考えはまちがいではありません）。

一方で、意匠デザインの作業の中で、安全と危険を体系的に見極める活動が乏しいといえます。

設計が縦割り分業体制になっていると、安全設計は意匠デザインのあとに、安全専門の担当者が行うことになります。デザインは上流工程による決定事項として扱われます。安全を求めるためにデザインを大幅に変更することは難しく、ただ安全基準や法規制を守ることだけに関心が限定されてしまいます。

本来なら、安全を実現する能力は製品の美しさを生みだすはずです。「危険だが、カッコいいデザイン」は、「紙の上ではカッコいい」「眺めるとカッコいい」「使ってみるまではカッコいい」ということにすぎません。いざ使ってみると、不合理で不便でイライラさせる代物であり、カッコよさとは相反するものです。

危険を招くデザインは、どのような発想に立つものでしょうか。それは、部分的なディテールにこだわりすぎているデザインだと思います。「ここは尖っていなければいけない」とか、「ここは透明なガラスをはめる」というものです（図6－16）。たしかにそのような工夫によって、全体のカッコよさが向上するかもしれません。しかし、その目的のためには、ほかにより合理的で安全な代替案があるはずです。代替案を考えず特定の方法にこだわるから、無理が出るのです。

図6－16　カッコいい看板？
路上にガラス板がこつぜんと生えているが（右）、通行人が激突して危険なので、見苦しい応急処置がなされた（左）。カッコいいだけでは無理が生じる。

一部のディテールだけに頼ることなく、全体としてまんべんなくデザインの方向性が打ちだせている工業製品の場合、危険な箇所は安全のためにデザインが一歩譲ることが大切です（図6－17、図6－18）。

◇トータルデザインを考える。

図 6－17　まんまるがテーマのデザイン
車体も内装もまんまる。

図 6－18　デザインと安全の調和
ドアには転落防止板。安全にかかわるところはデザインが一歩譲っている。

㉓安全装置のジレンマ　その1
常用化

電子レンジを止めるために、いきなり扉を開ける人がいます。安全装置が正常であるからよいものの、もし故障していたら事故になってしまいます。安全装置に頼った操作を防ぐには、どうすればよいでしょうか。

解説 いくつかの解決策が考えられます。

●安全装置を使ってもよいことにする。別に追加の安全装置を備えさせる。ただし、この対策は実現が難しかったり、製造コストを上げるおそれがある。

●安全装置を使いにくくする。大きな音が鳴る、機械を部分的に破壊しなければ使えなくする、手間がかかるようにするなど。ただしこの対策は、いざというときに使うことをためらったり、使いきれなくなったりするおそれがある。あるいは、安全装置を〝殺して（破壊して）〟、手間をはぶく作業者が現れる危険もある。

●そもそも危険な状態をなくす。たとえば、電子レンジの扉をC字型の回転ドアにする。こうするとドアが必ず電磁波を遮断するので、事故状態がなくなる。この種の解決策はアイデア勝負であり、妙案を思いつかないとできない。

◇常用される安全装置は改良が必要。

㉔安全装置のジレンマ　その2　設定ミス

安全装置は、その設定にまちがいがあると、危険を招きます。

本当の制限より厳しい値に安全装置を設定してしまうと、作業者は「なぜこんなに規制が厳しいのか？」といぶかり、そこから設定ミスが発覚します。発覚すれば直せます。

問題は逆のパターンで、本当の制限より甘く安全装置を設定すると、よほど危険なことをしないかぎり安全装置が作動しません。したがって設定ミスになかなか気づかず、やがては、事故が起こることになります。この危険を防ぐにはどうすればよいでしょうか。

解説　安全装置の挙動を多段階化すればよいでしょう。つまり、制限範囲内か制限超過かの二種類の判別だけではなく、「制限範囲内の低い値」「制限範囲内の正常値」「制限超過」と三種類の判定を行わせるのです。また、その判定結果を作業者に知らせるようにします。

◆白黒の判定だけでは設定ミスに気づかない。

㉕安全装置のジレンマ　その3　無効にしてしまえ

安全装置が故意に停止させられることがあります。

工場の生産ラインなどで、安全装置が過敏に作動していると、頻繁にラインが止まり（〝チョイ停〟と呼ばれる）、当然作業効率が落ちます。そこで現場の担当者が安全装置を停止させて、チョイ停を防ぎます。危険と知りつつもそのまま作業を進めてしまうのです。そして事故にいたるというのが、事故発生の典型的なパターンです。どうすればよいでしょう？

解説　この問題は、誰にとっての問題でしょうか。関係者それぞれの言い分を考えてみましょう。

現場担当者「安全装置のいうとおりに〝チョイ停〟ばかりしていたら仕事にならない。現場の人間の判断でラインを制御する必要があったし、ずっと公然とやっていた。裏マニュアルがある。事故になったのは運が悪かった」

作業の監督者「正規の作業手順を守らなかった現場担当者が悪い。裏マニュアルなど許されない」

生産ラインの設計者「チョイ停が問題ならいってくれれば調整したのに……。え、お前から見に行けって？　数が多くて見きれないし、設計室から工場は遠くて……」

経営者「現場担当者に責任があり、刑事裁判になった場合の経営者の法的責任はほぼない。だが道義的責任はとらされる。さらには経済的な問題。経営者としての能力が疑われてしまう。痛い……」

生産工学の学者「『雑草という名の草はない』というように、チョイ停という名の故障はない。単純そうに見える故障であっても、急がば回れで、原因を徹底的に追究せよ。単純そうに見える故障の原因は、実にくだらないことが多い。ネジが緩んでいた、ハンダづけ部分が寿命で壊れていた、部品の取りつけ方向が逆だった、潤滑が切れてキーキー鳴っていたが放置されていた、マニュアルが古いままだった、部品が倉庫で高温多湿にさらされていた、前工程の作業が勝手に変更されていたなどである。原因究明のためにラインを止める権限を現場に与えるくらいでちょうどよ

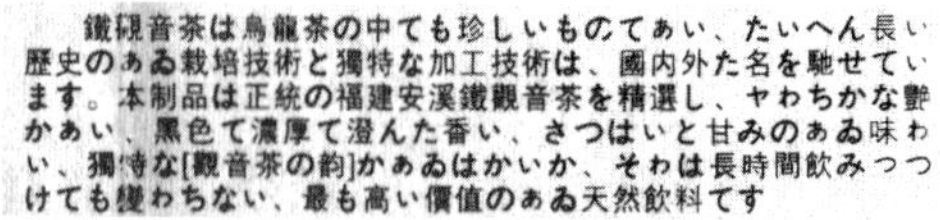

鐵硯音茶は烏龍茶の中ても珍しいものてぁい、たいへん長ぃ歴史のぁゐ栽培技術と獨特な加工技術は、國内外た名を馳せてぃます。本制品は正統の福建安溪鐵觀音茶を精選し、ャわちかな艶かあぃ、黒色て濃厚て澄んた香ぃ、さつはぃと甘みのぁゐ味わぃ、獨特な[觀音茶の韵]かぁゐはかぃか、そわは長時間飲みつつけても變わちない、最も高ぃ價値のぁゐ天然飲料てす

図6-19　中国のお土産の説明書き
まちがいには可笑しさがある。

い」

◆縦割り組織では、小さな問題が解決されず、こじれる。

㉖エラーは注目される

エラーや事故は人びとの関心を呼び、発生すると詳細に記録され報道される傾向があります。なぜでしょうか。

解説　第一に、事故は秘密を暴露します。通常なら部外者にはうかがえない、内部の実態が明らかになります。事故を起こした当事者は、内情を説明する責任を負います。その説明は論理的に完結させる必要があり、不都合な情報を隠蔽することが難しいのです。

第二に、事故やエラーの情報には価値があります。まず、事故の再発を防ぐためには、詳報は欠かせません。また、失敗と見なされた現象が、実は有効利用できることがわかり、発明の契機になることも多いのです。たとえば、非常に弱い接着剤がポストイットの発明につながったように。

第三に、エラーは滑稽さを感じさせることが多いようです。図6

－19のように、まちがった文章は、なぜか可笑(おか)しさを感じさせます。

◆エラーは内情を知る手がかり。

㉗徒然草

ヒューマンエラーは古来より人類とともにありました。いにしえの賢人もエラーについて考えています。とくに吉田兼好は秀逸です。

『徒然草』で、ヒューマンエラーに関係する箇所をご存じですか?

解説 百九段……高名の木登り。木から下りようとする人を、木登りの名人が監督していた。高くて危ないところでは何もいわず、低いところになってから注意せよと声をかけた。緊張のレベルが高いところでは何もいわなくても自分で気をつける。緊張のレベルが下がる局面で油断が生じ、ケガをしやすい。だからそこで声をかける。緊張レベルの適正化は現代の人間工学でも重要事項である。

百十段……双六(すごろく)(バックギャモン)の名人。勝とうとするな、負けじと打て。劣勢であっても、どの手が一番早く負けにつながるかを考えて、その手を使わず、少しでも負けが遅くなる手を選ぶ。この考え方は数学でミニマックス戦略と呼ばれるものであり、現代的である。事故原因帰納法(FTA)に通じるものがある。事故の渦中では、勝ちを探すのではなく、「負けじ」と行動するのがよい。

百二十七段……改めて益なき事は改めぬをよしとするなり。ワインバーグも「壊れていなければ直すな」といっている。うまくいっている事柄に、なんとなくヒューマンエラー防止策を生兵法（なまびょうほう）に導入するのは危険。

百八十五段……馬乗り名人、安達泰盛はとても慎重である。素人の馬乗りは慎重さに欠ける。

百八十六段……吉田と申す馬乗り。馬乗りの秘訣について。馬の力に人間はかなわないことを知れ。乗ろうとする馬の長所短所を見極めろ。馬具を検査せよ。不審な点があれば乗ってはいけない。作業員教育の要点がいいつくされている。

百八十七段……馬乗りの名人は慎重である。慎重なほうが得である。

二百二十九段……よい細工には少し鈍い刀を使うらしい（短い段なので真意はわからないが、強力な道具は、失敗したときに被害が大きいからむしろ作業には向かないことがある、ということか。とはいえ、切れ味の鈍い刃物はむしろ危険である。切りこむために大きな力が必要になったり、予想のつかない動きをしたり、刃が折れたりする）。

◆慎重な人は賢者だ。

㉘エラーを起こさせる

人間を惑わせエラーを起こさせるものをわざわざつくる人はいるのでしょうか。

解説 意外とたくさんつくられています。

代表例は、城。本丸に直進して進む道は実は一番遠い道であり、本丸から遠ざかるかに見える道が最短コースになるようにつくられています（図6-20）。図6-21の道は、すぐに行き止まりのように見えて、実は延々と続いています。このように敵兵

図6-20　姫路城
本丸への最短コースの入り口は、矢印の部分にずらされている。

図6-21　姫路城へ続く道
行き止まりのように見えるが、実はこの奥に本丸への最短コースが続いている。

の直感を裏切ることに腐心しています。

現代のわれわれの生活の中にも、使用者を惑わすテクニックは使われています。一般使用者に触ってほしくないボタンは、地味な外観で、目立たないところにひっそり置かれています。また、子どもが誤って飲んではならない薬を入れる容器は、簡単に開かないような仕掛けになっています。

事故を防ぐためには、人間を惑わせたり、人間の行為を制限することも、時には得策になりうるのです。

◆毒も薬になる。

第7章　学びとヒューマンエラー

学校のテストでまちがえるのはなぜ？

ヒューマンエラーの学問は、教育学と強い関連があります。

第2章で四枚カード問題を紹介しましたが、このような〝認知判断まちがい〟は、教育学の分野でも熱心に研究されてきました。小学生が算数の問題でまちがえるのはなぜか、まちがえないようにコツを教えるにはどうしたらよいかと、教育学者たちが考えたわけです。算数の答案を見て、「引き算をするときに、隣の桁から十を借りてきたことを忘れてまちがえた」などと分析し、「この生徒には、隣の桁から十を借りる手順を重点的に教え直し、この種の練習問題をたくさん解かせよう」と指導方針を立てるというものでした。たしかに指導方法としては科学的に見えます。

ところが、話はそんなに単純ではありませんでした。足し算や引き算ならともかく、分数同士の割り算のように複雑なものになると、生徒は問題にまったく歯が立たない。一行も計算経過を書かないので、どこで何をまちがえたか分析できないということになります。

たとえば、分数同士の割り算とは、「比の比較」を意味するものですが、学校ではそうした意味を教えるよりも、計算手順の教えこみに熱中してしまいます。まるで、「割る分数の分子分母を入れ換えて、分数のかけ算をすること」が、分数同士の割り算の〝意味〟であるかのように教えるのです。手順を教えることと、本質を理解することにはギャップがあります。手順を教えられても、それが何を意味するのかわからない生徒は、一行も書けないまま止まってしまいます。

では、計算手続きだけを教え、意味を教えないことは悪なのでしょうか。次の例で考えてみたいと思います。

問題：105 − 7 = ?

【手続き主義的な教え方】

引かれる数の一の位が、引く数より小さい。そこで十の位から10を借りることにする。十の位は0なので、百の位から90と10を借りる。90はそのまま残す。10は一の位の5と足して15にする。そして15－7を計算して、一の位は8だとわかった。残しておいた90と足して、答えは98。

【難しいことを避けるやり方】

ぱっと見て、簡単には引き算できない。とりあえず簡単な範囲だけをすます。一の位の5を清算してみよう。すると問題は100－2＝？となる。ここまでくれば、あとは簡単。100より2小さいのは98。だから答えは98。

【電卓の動作方法】

1000を法とする。7の補数は993である。105に993を足して1098、法の1000を除去して98が答え。

ふつうの学校教育では〝手続き主義的な教え方〟で教えます。手続き主義は一貫しているので、どんな計算でも通用します。ただ、手続きを完全に暗記し、さらに作業の途中で、どこまで手順が進んでいるのか、忘れないように努力しなければいけません。〝算数が不得意〟と判定される生徒は、手続きの暗記や集中力が不充分だっただけで、実際に算数の才能がないわけではありません。こうした生徒が、恥をしのんで悪い点のテストを家にもち帰り、やがて算数を嫌いになるというパターンが多いように思います。

〝難しいことを避けるやり方〟は、誤解しやすい作業はあと回しにする方法です。この方法を発見できれば、簡単で速く正確に答えが出せます。ただ、いつでも方法が発見できるか不確実です。

効率がいいからといっても……

〝電卓の動作方法〟は、みなさん理解できたでしょうか。電卓は「引き算を全廃する」という革命的発想でつくられています。みなさんが電卓に引き算をさせているつもりでも、電卓が実際にやっていることは、〝補数の足し算と、その前後のちょっとした手間〟の作業です。純粋な意味の引き算をする電卓はありません。足し算だけですむなら、わざわざ引き算のための回路をつくる必要がないからです。

学校で引き算を教えるときに、電卓の方法を教えないのはなぜでしょう？　手続き主義による方法より、手間が少なく、足し算を知っていれば使え、どんな引き算でも使用可能です。けれども、「作業の意味が全然わからない」という致命的な欠点があります。たとえ、電卓法を生徒が習熟しても、それは変な方法を暗記しただけであり、数学的な理解を深めたとはいえないわけです。

そうであるならば、手続き主義も同じくダメな方法になるおそれがあります。「隣の位から借りる」という作業は、電卓の「補数を足す」作業よりは具体的でわかりやすい。しかし、「隣のそのまた隣の位から借りて……」と複雑になってくると、わけがわからなくなります。

学問を理解するには、難しい考え方を避け、誤解のないわかりやすい考え方を見つける習慣をつけることが必要です。それが真の勉強です。

わかるということ

このことをマックス・ヴェーバーは次のように整理しています。

人間の理解には二段階あります。

最初の段階は、〝要素的理解〟と呼ばれます。たとえば、生徒が算数の問題文を読んで、そこに登場するものごとの意味が、個別的にわかるだけの状態です。数字の意味はわかる。分数の意味もわかる。割り算の記号の意味も知っている。でも、それらが一緒になると何を意味するのかがわからないという状態。

理解を深めたのちの境地を〝説明的理解〟と呼びます。この段階では、ものごと同士の関係、問題の背景、問題を解く動機、問題に登場していないものとの関係などを説明したり推測できます。たとえば、「この分数同士の割り算は、三つのリンゴを五人で分けるのに比べて、七つのリンゴを四人で分けることは、何倍リンゴを多くもらえるかを意味している」と、問題をわかりやすいストーリーにたとえることができれば、説明的理解ができているといえます。頭の中にしっかりしたイメージが描かれているので、解答をまちがえにくくなります。

知識の教授とは、生徒に説明的理解をさせることが目的であるといえます。

この考え方は、ソクラテスの時代からにすでにありました。プラトンの『メノン』という書物の中に、こんな話が出てきます。

ソクラテス「辺の長さが一の正方形がある。その面積はいくらか？」
生徒「一かける一で一です」
先生「では辺の長さを二倍にすると、面積はいくらになるか？」
生徒「面積も二倍になります」

これはまちがいです。ソクラテスは面積が二倍ではなく、四倍になることを生徒に絵を描かせて確認させます。

ソクラテスの教育方針はこうです。生徒に、正解である「面積は四倍になる」ことを〝教えて〟も、それは教育にはならない。先生から知識を聞いただけでは、要素的理解はできるかもしれないが、説明的理解をすることは不可能である。人間が〝知る〟ことができるのは、自分の内側から〝知った〟ときだけである。自分で〝これは変だぞ〟と思わないかぎり、本当の知識を獲得する機会はないのです。

古代ギリシャですでにこのような教育法が、有名学者のソクラテスによって提唱されていました。それにもかかわらず、現在の学校教育ではソクラテスのような教授法ができないことは、実に遺憾です。現場では〝効率的〟と思われている知識伝達型の教授法が幅を利かせています。

ソクラテスの勧める、エラーや試行錯誤で問題の本質に気づかせる教育は、深い理解が得られるものの、なんとも効率が悪く、時間もかかります。また、その方法は一定ではなく、題材や生徒に応じて、先生が適宜工夫して変えていかなければならないことも難点です。

このように手間のかかる方法は、たとえばアルバイトの従業員に機械の操作方法を教えるなどには適しません。人材教育の時間がかかりすぎます。この場合は、暗記と反復練習によって要素的理解をさせ、やり方を速く習得させればそれで充分なのです。

ところが、重要で複雑な作業に携わる作業員を教育する場合にも、促成教育で要素的理解をさせるのは不充分であり危険です。要素的理解だけではまちがいが多いからです。ヒューマンエラーを減らすには、説明的理解が必要です。ソクラテスのように、生徒に自分で考えさせ、まちがいは自分で気づかせることで、作業に対して正しく深く理解するようにしなければなりません。

このように教育では、浅いながらも速く教える方式をとるか、それとも手間はかかっても深く正しく理解させる方式を選ぶかの選択があります。安易に、速い学習法ばかり選ぶことは慎みたいものです。

〈増補〉第8章 安全とは誰がどう決める？

人びとが考える「安全」は、あやふやすぎる

ニュースを見ると、安全に関する記事が非常に多いことに気づきます。事故の話ばかりでなく、「○○は安全か？」という国民全体に広く関わる話題もあります。危険を疑われる製品や事業について、それをどう規制するかという論争は尽きません。

国民全体で利害が一致する話なら簡単で、懸念があるなら禁止すればよいのです。イギリスではヒジキを食べる人は少数派です。そんなイギリスの食品基準庁（FSA）は、ヒジキには無機ヒ素の含有量が多いとして、食べないことを勧告しています。コメも他の穀物に比べれば無機ヒ素が多いということで、幼児への与えすぎに気をつける助言も出ています。ヒジキやコメへの規制で困る業界がきわめて弱小であれば、政治的論争にはならず、安直に規制をかけて、安全を保つということになります。

しかし、コメをやたらに食し、ヒジキをもりもり食べてきた日本が、世界に冠たる長寿国なのですから、イギリスの対応は、実態としては的外れなことだと思えます。

近年のイギリスは菜食主義がブームで、海藻を大量に食べる人が急増しています。海藻に慣れていない食文化の人びとが、急に海藻をドカ食いしはじめたので、ヒジキを過剰摂取する人も出てくるでしょう。日本のように、小皿のおかずにヒジキが少し混じっているというレベルではないのです。この点を考えると、イギリス政府のおざっぱな厳しい規制も必要なのかなと思えてきます。

世間には「日本人は慎重派で、安全を優先する」とか「日本の消費者は危険なものは絶対に買わない」というイメージがありますが、これも実態には合いません。

日本人の多くは、すき焼きや、卵かけごはんで生卵を食べますが、これは外国の人びとからは、食中毒の恐れがあるきわめて危険な行為に見えます。実際、外国の店で売っている生卵を食べるのは危険かもしれません。日本の卵の生産と流通は、生卵食文化に適応するため、世界と比較してきわめて厳格な安全管理をしています。

極端になると、科学的にも弁護できないほど危険な行為に手を染める日本人もいます。牛の生肉やレバ刺しが食中毒事件の発生を受けて規制されると、豚や鳥のレバ刺しに手を出し、そっちで食中毒になる人が出てきました。フグの肝はきわめて危険ですが、世の中にはフグ肝の愛好者はいて、闇で提供する店も存在します。一九七五年に、八代目坂東三津五郎（みつごろう）がフグの肝をあえて食して死亡したことで有名です。

自分の血の中に発がん物質を注入する行為は、誰もが嫌がると思います。しかし、アルコールは発がん物質ですので、飲酒はまさにその行為です。かくいう私も酒を飲みます。なので、坂東三津五郎さんをそれほど悪くはいえません。

このように危険な行為であっても、伝統的に慣れ親しんだことであれば、われわれは実行します。危険の大きさを承知のうえで自由意志に基づいて実行することは、権利のうちなのです。われわれは、知人が酒が原因で病気になるといったことを見聞きしています。また、酒のリスクを避けるには、禁酒したり健康診断を受ければよいということも知っています。勝手知ったるリスクについては、その扱いは個人の自由意志に任せるべきとなります。

以上をまとめると、「安全」という概念は次のような特徴をもっているとわかります。

- 「安全」と判定される危険度の基準は統一されていない。危険度が低いのに規制されているものもあれば、高いのに許容されているものもある。
- 文化や国の違いによって「安全」の判定が異なってもよい。
- 「これは安全だ」という心象は、慣れの影響が大きい。伝統的に慣れ親しんでいるリスクは、たとえ危険性が高くても、対処法を熟知しているから、自由意志で実行可能なものと認定される。

◆「安全」という概念は不統一である。その基準は合理性よりも文化的価値や自由意志を優先している。

安全認証の憲法「ガイド51」

「安全」は相当にあやふやなものですが、それではわれわれの社会生活にとっては大問題です。危険な仕事をさせたり、危険な製品を売ったりしてはいけませんが、何が危険であるか判然としないようではダメです。

では、誰が、どのように、安全を判断しているのでしょうか？

工業の世界では、基本安全規格「ＩＳＯ／ＩＥＣ ガイド51」というものがそれを規定しています（ＩＳＯは国際標準化機構、ＩＥＣは国際電気標準会議）。これは日本国内でも内容そのままに直訳されて「ＪＩＳ Ｚ ８０５１ 安全側面─規格への導入指針」として制定されています。この規格は全産業分野に共通して適用される憲法のような存在となっています。

この規格の狙いは次の三点です。

- 安全を定量的に定義し、測定すること。
- 定められた順序で考察を進めること。
- 情報をオープンにすること。

ここで「安全」は、「許容不可能なリスクがないこと」と定義されます。リスクとは、被害の大きさとその発生確率のペアで表される危険の度合いのことです。「この山への登山は、一名が死亡する事態が、毎年一回発生する程度のリスクがある」という具合に、深刻さを把握します。安全を数量的に捉えるのです。「許容可能」とは「現在の社会の価値観に基づいて、与えられた状況下で、受け入れられる」レベルと定義されます。たとえば、飲酒は、それで病気になる人も大勢いますが、現代日本においては文化的価値も考慮して、許容しているのです。

次に問題となるのが、安全の判断の手つづきです。ガイド51では検討の手順を指定しています。

われわれは安全を考えるとき、どうしても直近の大事故にばかり検討が進みがちです。落雷があった工場では、落雷対策を念入りに考えますが、しかし、落雷は頻度としては小さいため、リスクは大きくなく、そこばかりに対策をしても無駄になってしまいます。

また、小手先の改良に飛びつくのではなく、そもそも危険なことをしないという対策が最も優れています。

こうした早合点を防ぐために、検討の正規の手順を指定しているのです。

三番目のポイントは公開性です。多様な立場の人を検討委員に加え、情報を取扱説明書や警告表示などで公開することを求めています。検討の過程と結果を開けっぴろげにしろということです。

大きな事故の裁判はしばしば泥仕合になります。現在の日本の司法制度では、「事故の危険は予見可能であったか」という点を過度に重視します。しかし、この論点は決着がつかない場合が多いのです。「事故のリスクは、微塵も予想できませんでしたか？」と言われても、絶対にリスクゼロと答えらえる人などいません。ガイド51では、許容可能な範囲であれば「安全」、すなわち十分に手を尽くしてあり、使用に供してよい水準とされます。リスクがゼロまで下げられていなくとも、悪ではないのです。日本の刑事責任論と、安全学の世界標準の現実論とに、ずれが生じています。

それよりも、検討の公開性で責任を問うほうが、簡明ですし、世の中のためにもなります。社内でのお手盛りの検討をちょっとしただけで、議事録をろくに残さず、ユーザへの説明もしていなかったのか。あるいは、ユーザも検討委員に組み入れて、何度も検討会を開き、記録を丁寧に書面にして、不利な情報も含め、手のうちを広く公開したものなのか。たとえ同じ被害であっても、閉鎖的な検討のほうは有責性が高いといえます。徹底的に公開している場合ならば、やるべきことはやったのであり、刑事的な責任は問えないでしょう。

そして、情報公開を称賛することによって、未来の事故を防ぐという効果も期待できます。検討内容が開けっぴろげならば、第三者がその不備を指摘しやすい改訂が進むのです。こうして安全対策を強化できます。

◆「安全」の考え方は、ガイド51という基本安全規格で決められている。手のうちを隠さずに検討する態度が安全につながる。

あとがき

あとがきとして、まず本書の執筆動機を述べたいと思います。

①ヒューマンエラーは恣意的なものであることを踏まえた議論をしてみたいとの意図がありました。フォークト・カンプフ検査法の例で見たように、ある行為がヒューマンエラーであると判定することは非常に難しいものです。簡単に白黒つくものではありません。われわれ人間はヒューマンエラーを直感的に識別できますが、なぜそうできるのかを突き詰めて考えてみると、真相はよくわかりません。ヒューマンエラーとは得体の知れないものであることを議論の出発点にすると、いかなる結論に到達するか興味がありました。「正体不明だから打つ手なし」という不毛な結論に陥らないように知恵を絞ったつもりです。

②事故を、その経過だけに目を奪われることなく、大局的な視点から捉えてみると

いうアイデアを述べてみたくなりました。事故の経過は偶然の産物に過ぎません。「この経過さえ防げば事故の再発は防げる」という保証はなく、別の経路でも同様の事故が起きる可能性は残ります。そこで、ポーカーや麻雀の戦略を考えるように、構造として事故の正体はどうなっているかに注目してみました。

③ヒューマンエラー抑止のための実践的な本が必要だと感じていました。単に実践的というだけでなく、読みやすく習得しやすい本をつくることを目論んでいました。本書のように、練習問題を通じてノウハウを学ぶというスタイルが、読者の役に立つと思います。囲碁・将棋の指南本はこのスタイルです。

④ヒューマンエラーのプラスの面を考えていました。とくに、学びとヒューマンエラーの深い関係は、ぜひ取りあげるべきだと感じていました。『メノン』でソクラテスのいうように、エラーは学びに必要なものです。現代の学校教育では、学びを助ける有益なエラーを重視しているのか不安に思います。定期試験でよい点をとるには、教えたことをまちがえない生徒が有利なのか、まちがいに自分で気づく生徒が有利なのか。学校を卒業して社会人として働く場合にはどちらが有利なのか。一見、害と思えるヒューマンエラーであっても、そのすべてを拒否することは正しいとはいえないようです。

人類（広くいえば動物）はその出現以来、エラーとつき合ってきました。エラーを取り扱う智恵やエラーを利用する術は、すでに歴史の中に蓄積されているのです。『説苑』しかり、『徒然草』しかり。ヒューマンエラーを新種の流行病のように恐れる必要はありません。昔ながらの智恵を、現代に当てはめていけばよいと考えています。

最後に、ヒューマンエラーについてより深く理解するための本を紹介しましょう。私以外の研究者の意見に接することも学問では大切です。次の四冊は非常に興味深い本ですから、ご購読をお勧めします。

●畑村洋太郎編著『続々・実際の設計――失敗に学ぶ』、日刊工業新聞社、一九九六年。

産業の現場での事故事例を広く収集し、事故の理論化を試みています。必読です。読みやすく書かれています。

●日本建築学会編『建築資料集成――人間』、丸善、二〇〇三年。

人間の感覚や運動に関するデータが膨大に収録されています。人間のなんでも図鑑という感じです。人間に合った道具や環境をつくる場合には必読です。

●G・M・ワインバーグ著『コンサルタントの秘密――技術アドバイスの人間学』

（木村泉訳）、共立出版、一九九〇年。
●ドナルド・C・ゴース、ジェラルド・M・ワインバーグ著『ライト、ついてますか――問題発見の人間学』（木村泉訳）、共立出版、一九八七年。

この二冊は、本書の問題解決の議論に大きな影響を与えました。人間社会の問題を解くことについて、オリジナルの理論を学んでください。

二〇〇七年一月

中田　亨

文庫版あとがき

ヒューマンエラーを考える作業は、シャーロック・ホームズの推理に似ています。二〇一九年九月五日に、京浜急行神奈川新町駅で、踏切内に立ち往生した大型トラックと、高速で走行中の列車とが衝突し、死者一名、負傷者七七名を出す、大事故がありました。

ふつう、交通事故というものは、出発点と目的地との間で起こるものですが、この事故の場合は、出発点からいくぶん逆方向にある地点で起きています。

また、事故発生当初は、「運転手は、JR東神奈川駅の地下をくぐる地下道を選んだが、地下道手前で突如として、高さ制限に阻まれた。仕方なく脇道に入り、事故現場に至ったのだろう」という見立てが各種の報道でささやかれました。しかし、この地下道は交通量の多い主要なルートです。高さ制限の警告はぬかりなく、付近一帯の道路案内標識でくりかえしなされています。突然知らされてびっくりしたのだろうと

子安入口の代替として汐入入口を指示する看板（2019 年 9 月 14 日撮影）

いうストーリーは無理があります。

こうした、ささいながらも理屈に合わない点に目を向けることが、人間のまちがいを探る突破口になります。

このトラックは、横浜市内から成田市へ向かう途中でした。出発地点から、最寄りの子安（こやす）入口から首都高横羽（よこはね）線に入り北進すれば造作もないことなのですが、あいにくこのときは工事のため子安入口は閉鎖されていました。代替ルートを求めてさまよった結果、事故現場へたどり着いたのでしょう。とはいえ、運転手が事故で死亡しているため、経緯の詳細は不明であると、事業用自動車事故調査委員会による報告書では結論されています。

閉鎖された子安入口の代わりとなるのが、一つ東京寄りの汐入（しおいり）入口です。

しかし運転手は汐入入口へは進みませんでした。私も自分だったらそうするだろうと思います。汐入入口は、本線の右側から合流するタイプです。低速の大型トラックが、速度の速い右車線に無事に割り込めるのか不安になります。また汐入入口はやや遠い位置にあります。逆方向になりますが、一つ南側の東神奈川入口のほうがかなり近いのです。

子安入口に入れなかった運転手は、国道15号を南進し、東神奈川二丁目交差点でUターンをして、東神奈川入口に入るという計画を立てたのでしょう。大型トラックが交差点でUターンすることは難しそうですが、東神奈川二丁目交差点には中央分離帯があり、それに沿って周回すればUターンできるような気もします。

向かう途中で何度も見たはずの地下道の高さ制限の注意喚起も、もともと地下道に進むつもりはないので気に留めなかったとすれば、納得できます。

結果として、東神奈川二丁目交差点ではUターンはできなかったのでしょう。トラックが大きすぎたのです。しぶしぶ右折すると、もはや正面には地下道です。細い脇道に曲がり込むことを余儀なくされたのでしょう。

被害を見れば大事故とはいえ、そこに至る過程は「ささいなこと」の積み重ねで成り立っていることがわかります。もし、入口閉鎖の情報をつかんで、経路を念入りに計画できていたら。Uターンができないことを知っていたら。そして何より、困ったら無理に進まず、停車してゆっくり考える原則を守っていたら。いくつもの予防策・解決策が「ささいなこと」の中に見つかります。ホームズのように細かい点を手がかりに、事件全体を制することが、ヒューマンエラー対策の真髄と思います。

二〇二二年一二月

著者しるす

文庫化にあたっての参考文献

• 村上道夫ほか、『基準値のからくり』、講談社ブルーバックス、二〇一四年。

本書は、二〇〇七年三月に刊行された『ヒューマンエラーを防ぐ知恵——ミスはなくなるか』(DOJIN選書)を加筆・修正し文庫化したものです。

中田　亨　なかた・とおる
1972年神奈川県生まれ。2001年東京大学大学院工学系研究科博士課程先端学際工学専攻修了。博士（工学）。現在、産業技術総合研究所人工知能研究センター 副連携研究室長、中央大学大学院理工学研究科客員教授、内閣府消費者安全調査委員会専門委員。
人間の行動メカニズムを情報学・認知科学の観点から解明する研究を進めている。
著書に『マニュアルをナメるな』（光文社）、『多様性工学』（日科技連出版）、『即効！卒業論文術』（講談社）などがある。

ヒューマンエラーを防ぐ知恵　増補版
ミスはなくなるか

2023年4月30日第1刷発行

著者　中田　亨
発行者　曽根良介
発行所　株式会社化学同人
600-8074　京都市下京区仏光寺通柳馬場西入ル
電話　075-352-3373(営業部)／075-352-3711(編集部)
振替　01010-7-5702
https://www.kagakudojin.co.jp　webmaster@kagakudojin.co.jp
装幀　BAUMDORF・木村由久
印刷・製本　創栄図書印刷株式会社

本書のご感想をお寄せください

ISBN978-4-7598-2513-8